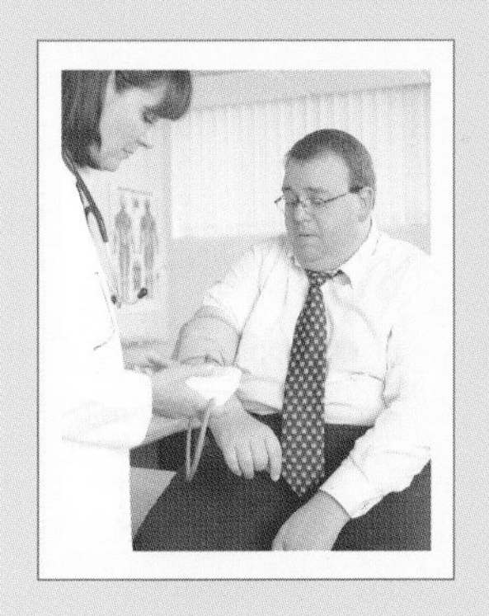

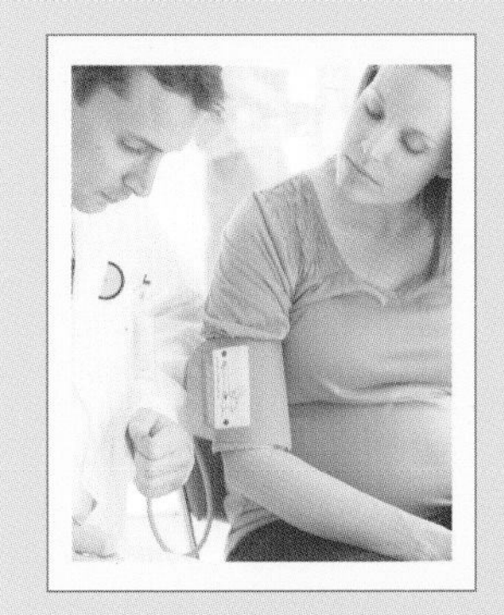

Guías para la salud

HIPERTENSIÓN

Conozca cómo puede afectar su salud.
Prevención, tratamiento y pautas de vida saludable.

Presentación

La hipertensión es una enfermedad crónica que, según datos de estudios recientes, afecta a uno de cada tres adultos en todo el mundo. Si bien puede presentarse en cualquier etapa de la vida, es más frecuente en personas mayores de 30 años. Las instituciones de salud la llaman "enfermedad silenciosa" porque puede cursar sin presentar síntomas específicos, y su evolución es progresiva. Alrededor de la mitad de las muertes que ocurren en el mundo por enfermedad cardiovascular o accidente cerebrovascular es producida por la hipertensión, por lo que es un importante factor de riesgo.

Sin embargo, es un trastorno manejable y, con el adecuado control médico, las personas hipertensas pueden desarrollar su vida de manera satisfactoria.

Esta guía, redactada por profesionales del área de la Salud, tiene el objetivo de brindar al paciente y su familia información básica sobre la enfermedad, su tratamiento y su prevención, expresada en un lenguaje accesible, que ayuda no solo a comprender las características de la hipertensión sino también a adoptar los cuidados y hábitos necesarios para su control.

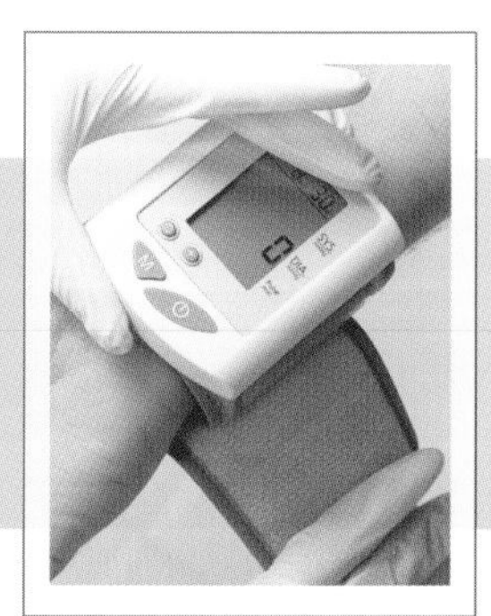

Cómo se usa esta obra

Sobre las autoras

▸▸ *Nanci Navarro* es Médica por la Universidad de Buenos Aires, Argentina. Realizó la residencia de medicina general en la Ciudad de Buenos Aires, en el marco del Posgrado de Capacitación en Servicio. Finalizada su residencia, se desempeñó como jefa de residentes y recibió el título de Especialista en Medicina General y Familiar del Ministerio de Salud de la Nación. Como médica generalista, participa en congresos de dicha especialidad en carácter de asistente y expositora. Actualmente lleva a cabo su actividad asistencial, trabajo comunitario y tareas de prevención y promoción de la salud en instituciones del primer nivel de atención y se desempeña como docente de pregrado de estudiantes de Medicina.

▸▸ *Gabriela Analía Trunzo* es Licenciada en Ciencias de la Comunicación por la Facultad de Ciencias Sociales de Universidad de Buenos Aires, Argentina. Realizó la Residencia Interdisciplinaria de Educación para la Salud (RIEpS) en el marco del Posgrado de Capacitación en Servicio, orientado a la realización de actividades y proyectos de promoción, prevención y educación para la salud, del Ministerio de Salud del Gobierno de la Ciudad de Buenos Aires.
Participó en el desarrollo de proyectos y actividades de Promoción, Educación para la Salud y Prevención de Enfermedades en diversos hospitales públicos de esa misma ciudad. Actualmente es Consultora en planificación, diseño y desarrollo de contenidos en la Coordinación de Información Pública y Comunicación del Ministerio de Salud de la Nación.

Importante

¿Qué es la hipertensión?

La hipertensión arterial es una enfermedad que se produce cuando la presión que ejerce la sangre sobre las paredes de los vasos sanguíneos es demasiado alta.

Es una **patología** de las **paredes de las arterias**, que se caracteriza por un **aumento** de su **espesor**, con cambios en su estructura e incremento de la resistencia al paso de la sangre. Se la denomina "enfermedad silenciosa" porque no tiene síntomas específicos y es lentamente progresiva.

A qué edad aparece

Se puede presentar en todas las edades, pero es más frecuente en **personas mayores de 30 años**. Después de un tiempo, puede producir daños en algunos órganos. En todo el mundo, uno de cada tres adultos tiene la presión arterial elevada, y este trastorno causa, aproximadamente, la mitad de todas las muertes por **accidente cerebrovascular** o **cardiopatía**.

El aparato circulatorio

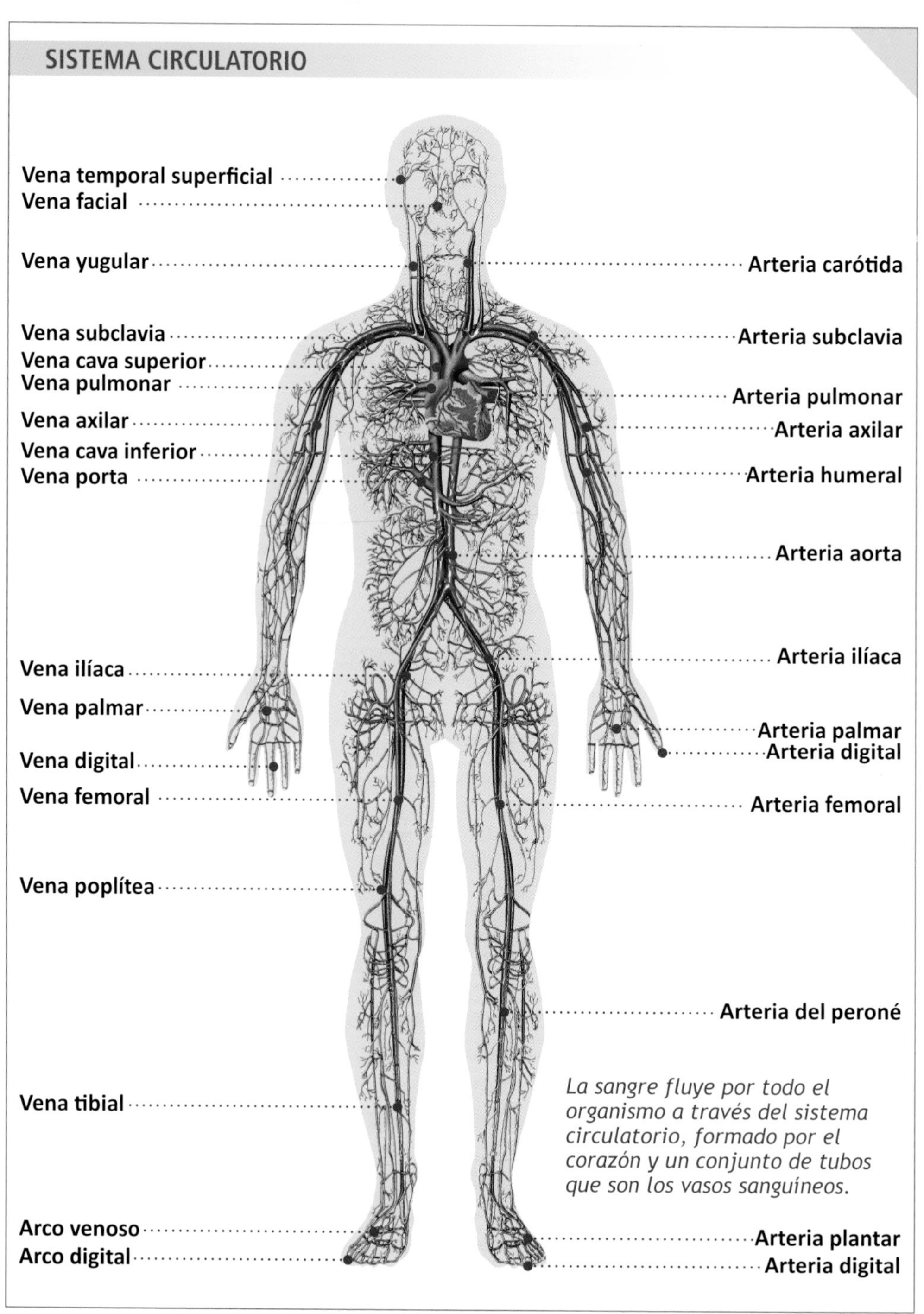

La sangre fluye por todo el organismo a través del sistema circulatorio, formado por el corazón y un conjunto de tubos que son los vasos sanguíneos.

El corazón

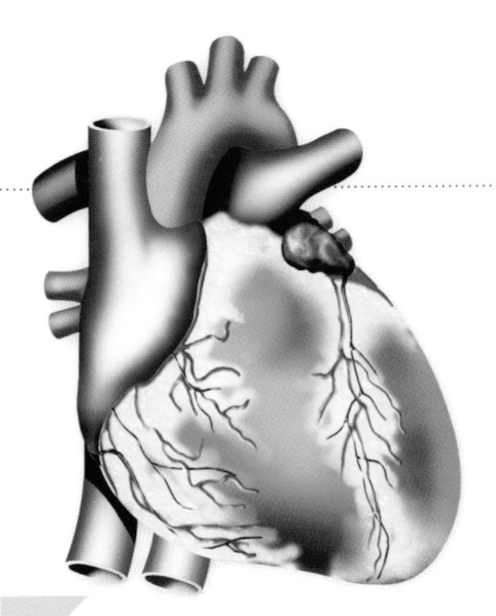

Es un **órgano hueco**, del tamaño del puño, encerrado en la cavidad torácica, en el centro del pecho, entre los pulmones. Está dividido en dos mitades, cada una compuesta por un **ventrículo** y una **aurícula**, que no se comunican entre sí: una derecha y otra izquierda.

Dos mitades

La **mitad derecha** siempre contiene **sangre con poco oxígeno**, procedente de las **venas cava superior e inferior**, que es conducida a los **pulmones** donde se oxigena. Luego pasa a la **mitad izquierda** del corazón, que por eso siempre tiene **sangre rica en oxígeno**, y es utilizada para oxigenar los tejidos del organismo, a partir de las ramificaciones de la **gran arteria aorta**.

Latidos

Al final de una larga vida, el corazón de una persona puede haber latido más de 3 500 millones de veces.

Sístole y diástole

El corazón es el encargado de impulsar la sangre por todo el cuerpo, funciona igual que una bomba. Cuando las aurículas se están llenando de sangre, los ventrículos terminan de vaciarse. Para vaciarse, las aurículas y ventrículos **contraen sus paredes**, a este proceso se lo denomina **sístole**. Cuando se llenan, reposan, **relajan las paredes** y reciben nuevamente la sangre, a este **período de dilatación** se lo llama **diástole**. Este proceso de trabajo y reposo alternado de las cavidades del corazón constituye el **ritmo cardíaco**.

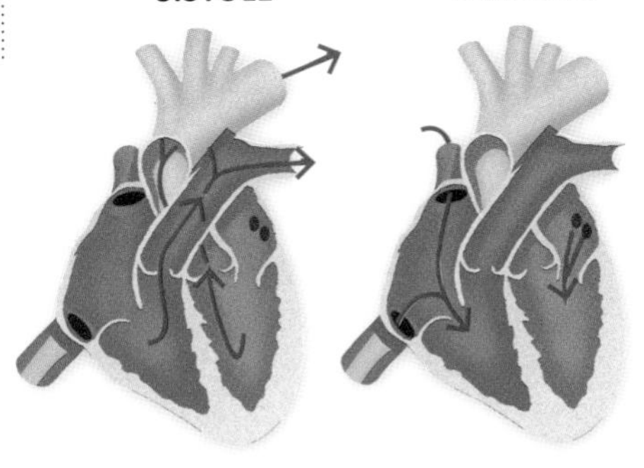

Los vasos sanguíneos

Los vasos sanguíneos son **conductos musculares elásticos** que distribuyen y recogen la sangre de todos los rincones del cuerpo y, por lo tanto, son un componente fundamental del sistema circulatorio. Existen cinco **tipos** de vasos sanguíneos: **capilares, arterias**, **venas**, **arteriolas** y **vénulas**, cada uno de ellos tiene funciones y características específicas.

Las venas

Una vez que este intercambio entre la sangre y los tejidos se produce a través de la red capilar, los capilares van reuniéndose en **vénulas** y **venas** por donde la sangre regresa a las **aurículas** del corazón. La **fuerza** que ejerce la **sangre** en este recorrido por el **sistema circulatorio** es lo que se denomina **presión arterial**.

Arterias y capilares

Se denominan **arterias** a aquellos vasos que **llevan la sangre desde el corazón hasta los órganos corporales**. Las **grandes arterias** que salen desde los **ventrículos** del corazón van ramificándose y haciéndose más finas hasta que se convierten en **capilares**, es decir, en vasos tan finos que, a través de ellos, se realiza el **intercambio gaseoso** y de **sustancias** entre la **sangre** y los **tejidos**.

Arterias y venas más importantes del cuerpo:

Todos los componentes del sistema circulatorio son indispensables para su funcionamiento, sin embargo, podemos retener los nombres de algunos de los vasos sanguíneos más importantes.

Arterias

- Aorta
- Pulmonar
- Carótidas
- Subclavias
- Hepática
- Ilíacas

Venas

- Pulmonares
- Porta
- Cava superior y cava inferior
- Femoral
- Yugular
- Coronarias

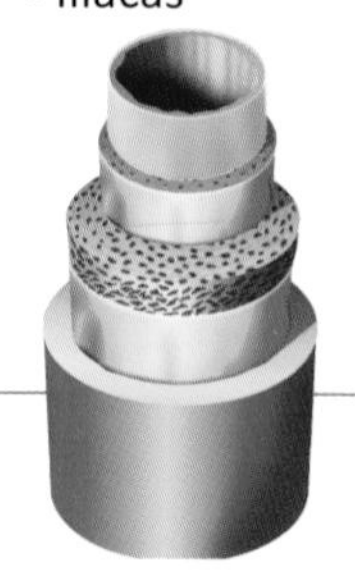

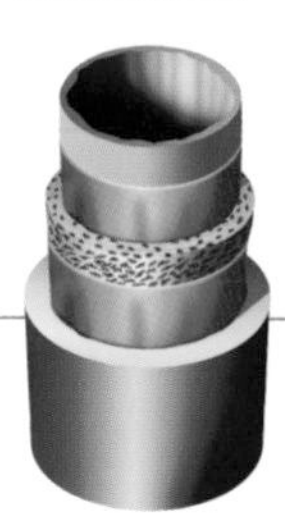

La presión arterial

▶▶ Presión sistólica y diastólica

La presión arterial mide la fuerza que se aplica a las paredes de las arterias.
Existe una **presión arterial sistólica**, llamada popularmente **alta**, que es la presión que se registra cuando **la sangre es bombeada por el corazón** hacia las arterias del cuerpo, y una **presión diastólica**, denominada comúnmente baja, que es la presión con que **la sangre circula por las arterias** mientras el corazón está volviendo a llenarse.

Valores distintos

Es normal que en repetidas tomas se obtengan valores diferentes de presión arterial.

PRESIÓN ARTERIAL

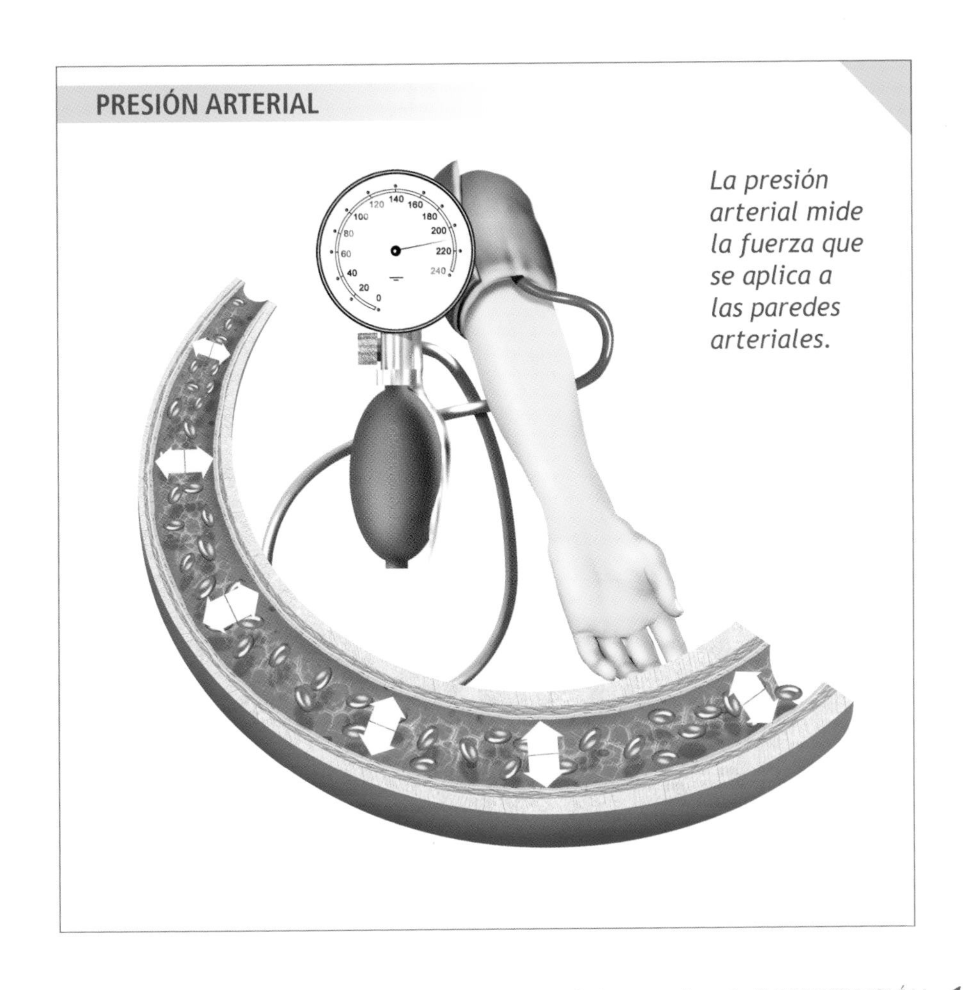

La presión arterial mide la fuerza que se aplica a las paredes arteriales.

Variaciones de la presión

Es importante destacar que la presión varía de latido a latido, durante el día y la noche, o frente a situaciones cotidianas como: caminar, hablar o realizar actividad física. Por lo tanto, la variación de la presión arterial es un fenómeno normal, que cambia continuamente para adaptarse a las necesidades del organismo en cada momento.

El diagnóstico

La **presión arterial sistólica** normal es de **120 milímetros de mercurio** (mmHg) y la **diastólica** es de **80 mmHg** en personas adultas. A esto comúnmente se lo menciona como **12/8**. Se considera que una persona padece **hipertensión arterial** cuando, luego de la entrevista inicial con el médico, y por lo menos en dos visitas separadas por una semana, los **promedios** de **dos** o más **mediciones** de presión arterial son **iguales o superiores a 140 mmHg de sistólica** y/o **iguales o superiores a 90 mmHg de diastólica**.

La presión arterial se mide de manera indirecta, utilizando un instrumento que se denomina tensiómetro de mercurio y un estetoscopio.

CÓMO INTERPRETAR LAS MEDICIONES

CATEGORÍA	PRESIÓN ARTERIAL SISTÓLICA EN MMHG	PRESIÓN ARTERIAL DIASTÓLICA EN MMHG
Óptima	*menor a 120*	*menor a 80*
Normal	*menor a 130*	*menor a 85*
Prehipertensión	*130-139*	*85-89*
HIPERTENSIÓN		
Estadio 1	*140-159*	*90-99*
Estadio 2	*160-179*	*100-109*
Estadio 3	*180-209*	*110-119*

Sistemas reguladores de la presión arterial

El sistema nervioso, específicamente el **sistema nervioso autónomo**, es un mediador clave de los cambios en la **presión arterial** y de la **frecuencia cardíaca**. Este sistema, que se divide en **simpático** y **parasimpático**, recibe la información de las vísceras y de las células para actuar sobre los músculos, glándulas y los vasos sanguíneos.

Simpático y parasimpático

El **sistema nervioso simpático** prepara al cuerpo para reaccionar ante una **situación de estrés**. Para ello, utiliza la **adrenalina** y la **noradrenalina** como **neurotransmisores**. Por ejemplo, hace que el corazón lata más fuerte frente a una situación atemorizante o al momento de rendir un examen. En cambio, el **parasimpático** es el que mantiene al cuerpo en **situaciones normales** y lo regula luego de pasar la situación de estrés.

Información

El sistema nervioso autónomo tiene receptores que hacen que le llegue la información para regular la presión arterial.

EL SISTEMA ENDOCRINO

Para completar este maravilloso circuito existe otro punto de regulación de la presión arterial: el sistema endocrino, que regula también la presión arterial por medio de **hormonas**; en este circuito participan la **neurohipófisis**, las **glándulas suprarrenales** y los **riñones**.

▸▸ Cómo funciona

Para que el sistema nervioso autónomo pueda regular la presión arterial necesita "enterarse" de lo que está pasando con la presión y, para esto, existen diferentes **receptores** que le **avisan** cuando la **presión sube** o **baja** (**baroreceptores**), o cuando se modifica el **oxígeno** o el **dióxido de carbono**, lo cual también hace que la presión varíe.
De acuerdo a la información que le mandan estos receptores, el sistema nervioso autónomo estimula al sistema simpático o parasimpático según corresponda:

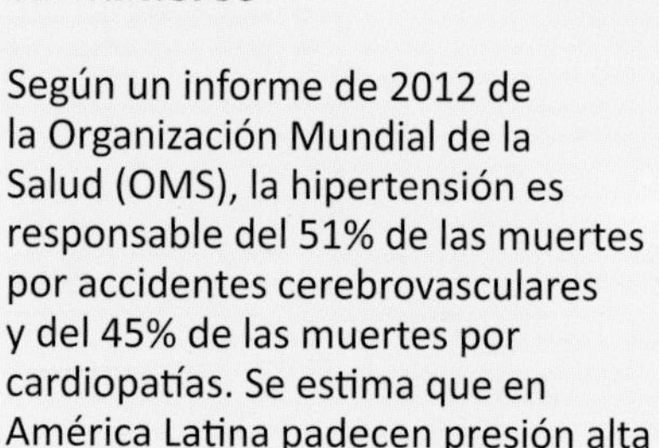

La hipertensión en números

Según un informe de 2012 de la Organización Mundial de la Salud (OMS), la hipertensión es responsable del 51% de las muertes por accidentes cerebrovasculares y del 45% de las muertes por cardiopatías. Se estima que en América Latina padecen presión alta unos 140 millones de personas, pero el 50% de ellas no lo sabe.

si se necesita **aumentar la presión arterial** estimula al **simpático**, en cambio si necesita **bajar** la presión funcionará el **parasimpático**.
Según la información, el **neurotransmisor** liberado actúa en **receptores** presentes tanto en los **vasos** como en el **corazón**. En los vasos haciendo que se dilaten (baja la presión arterial) o que se contraigan (sube la presión arterial) y en el corazón haciendo que lata más rápido o más lento.

El control médico es la principal medida de prevención.

Causas de la hipertensión

El **95%** de pacientes que presentan hipertensión **no tienen una causa definida**, a esto se lo llama **hipertensión arterial esencial**, también denominada **primaria** o **idiopática**, mientras que el **5%** son **secundarias**, es decir, producto de diversas causas, entre las que destacan las inducidas por **drogas** o **fármacos**, la enfermedad o el **fallo renal** y otras enfermedades.

Interacción

La interacción entre variaciones genéticas y factores ambientales como el estrés, la dieta y la actividad física, contribuyen al desarrollo de la hipertensión arterial esencial.

¿QUÉ DAÑOS PROVOCA?

Cuando la hipertensión no se trata de manera adecuada puede tener serias consecuencias para la salud general de la persona afectada. Entre los órganos más vulnerables a los daños causados por la hipertensión se encuentran:

Cerebro:

En las personas con hipertensión el riesgo de padecer un accidente cerebrovascular (ACV) aumenta de 3 a 4 veces con respecto a las personas con presión normal.

Corazón:

A medida que suben los valores de la presión arterial el corazón tiene que trabajar más para bombear la sangre a la aorta. Eso a la larga hace que se engrose el músculo cardíaco.

Riñón:

La hipertensión daña en particular a los vasos sanguíneos más pequeños de los riñones que colaboran con el filtrado de la sangre, provocando insuficiencia renal.

Otros daños:

La hipertensión afecta los vasos sanguíneos, volviéndolos rígidos y frágiles. También puede afectar la retina.

¿QUÉ HACE SUBIR LA PRESIÓN?

Hay determinados factores de riesgo que pueden influir en el aumento de la presión arterial, pero que son modificables con cambios de hábitos.

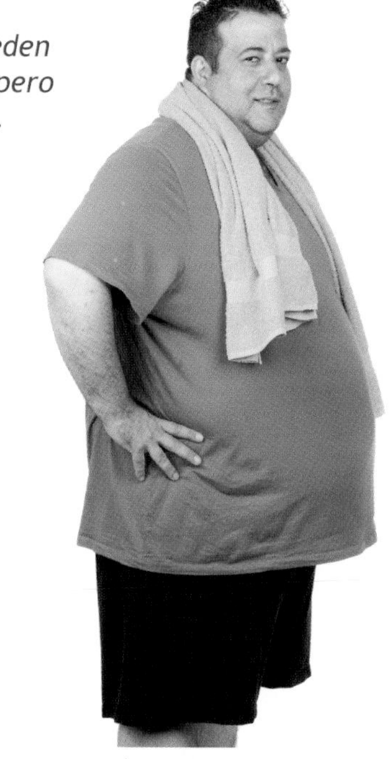

Obesidad:

El sobrepeso, y en especial la obesidad, contribuyen a la elevación de la presión arterial. Sin embargo, no es conocido el mecanismo por el cual esta condición y la distribución de la grasa a nivel abdominal provoca un mayor riesgo. Lo que sí se ha observado es que la pérdida de peso se correlaciona con una disminución de los valores de presión.

Ingesta elevada de sal:

El aporte excesivo de sal (sodio) produce hipertensión por aumento del volumen sanguíneo, que incrementa el trabajo que el corazón debe realizar para bombear la sangre.

Ingesta elevada de alcohol:

El alcohol produce un aumento de la presión arterial, así como de hormonas que regulan la cantidad de sales y agua en la circulación. Esto produce un efecto directo sobre el tono vascular.

Tabaquismo:

El consumo de tabaco puede elevar, de forma transitoria, la presión arterial en aproximadamente 5-10 mmHh, y aumenta marcadamente el riesgo de enfermedad coronaria.

Sedentarismo:

La falta de actividad física es un riesgo de hipertensión. Se aconseja realizar un mínimo de 30 minutos diarios de actividad física, con una intensidad adecuada a cada persona.

Estrés:

El estado emocional puede afectar los valores de la presión arterial, además de influir negativamente sobre el tratamiento de la hipertensión.

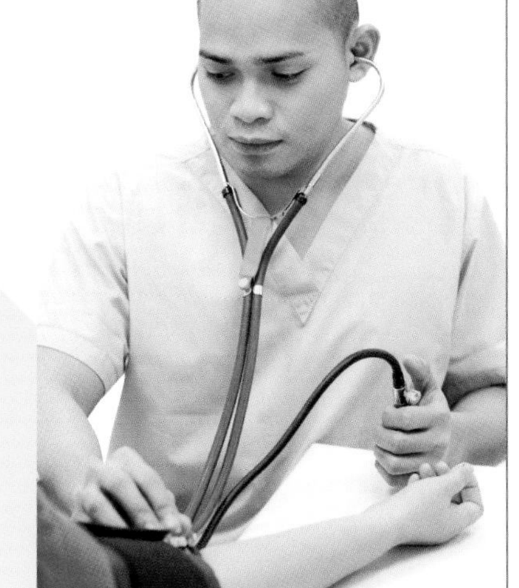

Mediciones

Que un paciente tenga elevada la presión arterial en la consulta médica no implica que sufra de hipertensión, por esto deben realizarse otras mediciones en distintos ámbitos y momentos del día.

Factores de riesgo no modificables

Reacciones

Los cambios anatómicos hacen que una persona hipertensa reaccione en forma exagerada a situaciones de estrés.

Entre las causas de la hipertensión se encuentran algunos factores de riesgo que no se pueden cambiar, entre ellos podemos mencionar:

- **Antecedentes familiares de hipertensión arterial:** cuando una persona tiene uno o varios familiares de primer grado hipertensos se duplica la probabilidad de padecer esta enfermedad.
- **Edad:** está comprobado que, conforme aumenta la edad, suben la presión arterial sistólica y la diastólica.
- **Sexo:** los hombres tienen más predisposición a sufrir hipertensión arterial que las mujeres, al menos hasta que estas llegan a la menopausia. A partir de ahí, la probabilidad de sufrir hipertensión se iguala entre los hombres y las mujeres. La razón de ello es que antes de la menopausia, en la etapa fértil de la mujer, los estrógenos disminuyen los riesgos de padecer enfermedades cardiovasculares. Sin embargo, el hecho de tomar píldoras anticonceptivas aumenta el riesgo de padecer hipertensión en mujeres jóvenes.

Derribando Mitos

"Mi presión es nerviosa."

Algunas personas consideran que su presión elevada es producto de un estado emocional y no lo que realmente es: una enfermedad de la pared arterial. El estrés o los nervios pueden elevar la presión arterial en momentos determinados pero no son causa de hipertensión establecida. En una persona sana, las cifras se elevan poco y rápidamente vuelven a la normalidad. Sin embargo, los hipertensos presentan alteraciones de las paredes arteriales, lo que provoca que reaccionen de forma exagerada a las situaciones de estrés con elevaciones importantes y mantenidas de su presión arterial.

¿Cómo se detecta?

La hipertensión, generalmente, no produce síntomas, por eso es tan importante controlar la tensión arterial con regularidad, sobre todo si se tienen antecedentes familiares de esta patología.

La **toma** de la **presión arterial** sirve para la **detección temprana** de la **hipertensión**. Todas las personas, en particular quienes tienen hipertensión, deben **controlarse la presión regularmente**. Pueden hacerlo en el consultorio o en sus casas. El médico puede recomendar el tipo de aparato y explicar a otras personas cómo se mide para ayudar a realizar este control.

▸▸ El tensiómetro

El aparato para medir la presión arterial se denomina **tensiómetro**, **esfingomanómetro** o **baumanómetro**. Está compuesto por un **manguito de tela**, que incorpora una **goma inflable**, y un sistema de medición en contacto con este manguito llamado **manómetro**. Además, se usa un **estetoscopio** para oír el **flujo sanguíneo**.

CÓMO MEDIR LA PRESIÓN ARTERIAL

La medición de la presión arterial consiste en inflar manualmente la goma que se encuentra dentro del mango de tela al apretar repetidamente una pera de goma, hasta que la arteria braquial es ocluida totalmente.

Una medición exacta

El manómetro puede ser de mercurio. Este sistema brinda un resultado absoluto sin la necesidad de calibración y, por lo tanto, no está sujeto a los errores y a la inexactitud posible. Es por esto que la presión arterial se mide en milímetros de mercurio.

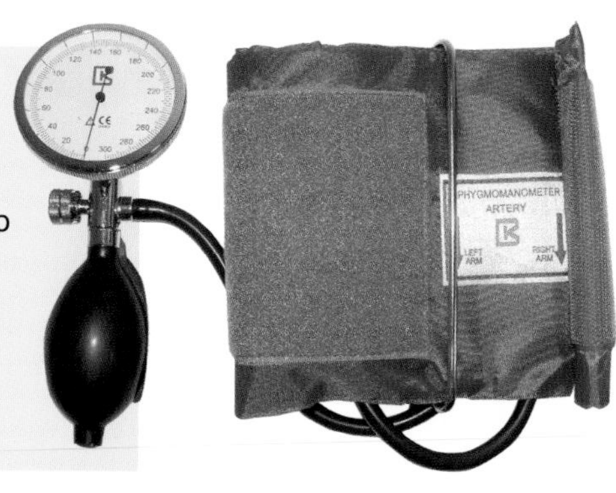

Preparación y postura

1

La persona debe estar sentada con la espalda apoyada, tranquila, durante 5 minutos. No debe haber fumado, ni tomado café 30 minutos antes.
Se recomienda que haya orinado y permanezca sin hablar durante la medición.
El brazo debe apoyarse (en general se realiza la toma en el izquierdo) en una mesa o el brazo del sillón.

Cómo colocar el aparato

2

Se debe colocar el brazalete alrededor del brazo desnudo, a una altura equidistante entre el hombro y el codo. Si se usa el método manual, la persona que mida la presión buscará el latido braquial, a dos centímetros por encima del pliegue del codo, en la cara interna del brazo, para apoyar allí la campana del estetoscopio.

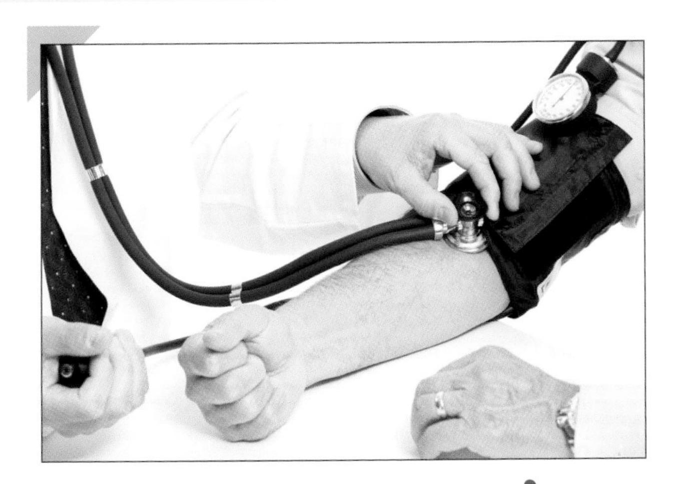

Uso del tensiómetro

3

- *Se debe bombear la pera rápidamente hasta superar los 200 mmHg o la máxima esperada.*
- *Luego, hay que desinflar el brazalete lentamente, observando en el manómetro que el descenso se haga a razón de 2 a 3 mmHg por segundo.*

Importante

La persona que está tomando la presión libera lentamente el aire del brazalete y escucha con el estetoscopio la arteria radial en el codo. Cuando la sangre apenas comienza a circular en la arteria, el flujo turbulento crea un "silbido" o palpitación. La presión en la cual este sonido se oye primero es la presión sanguínea sistólica. La presión del brazalete continúa liberándose hasta que no se puede oír ningún sonido, el valor que indica en ese momento es el de la presión sanguínea diastólica.

Lectura de la medición

4

La cifra que indica la aguja del manómetro en el momento en que se escucha el primer latido corresponde a la presión sistólica o presión máxima. La cifra que indica la aguja en el momento en que se dejan de oír los latidos corresponde a la presión diastólica o presión mínima.

5

Repetir la medición luego de 1 o 2 minutos.

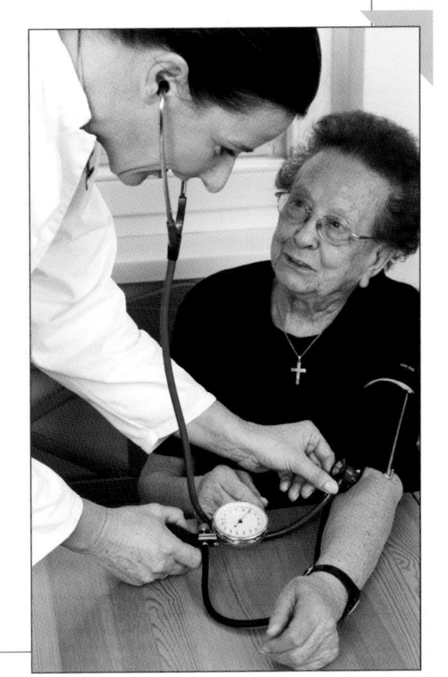

El control en el hogar

La importancia del autocontrol

Variaciones

Como puede haber variaciones en los valores de presión arterial, lo que se considera es el promedio de múltiples mediciones.

La **medición** y el **registro** de las lecturas obtenidas fuera del consultorio, le sirven al médico para obtener **información** sobre la **presión arterial** de varios días y hasta meses. Esto ayuda a detectar con más facilidad episodios de **hipotensión** o **hipertensión** y a analizar la respuesta al tratamiento.
También es útil para confrontar estos registros con los que se obtienen en el ámbito hospitalario, que pueden verse afectados por la llamada **"hipertensión de guardapolvo blanco"** (aumento de la presión que se produce en algunos pacientes ansiosos, en la visita al médico).

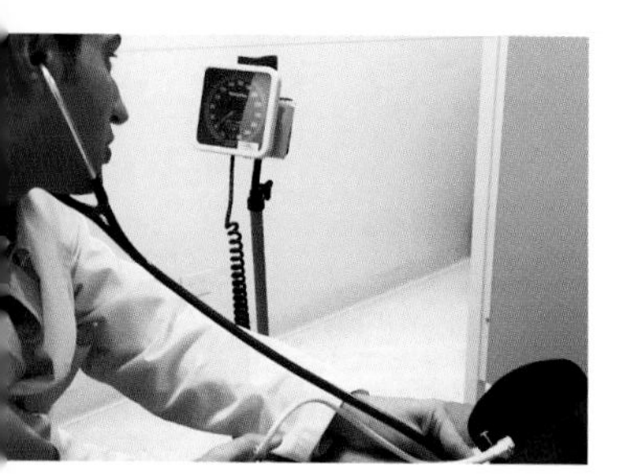

¿En qué casos está indicado?

La **Auto Medición de la Presión Arterial** (conocida como **AMPA**) está especialmente indicada en los siguientes casos:

- Cuando se registra presión arterial alta en el consultorio médico en pacientes que no evidencian factores de riesgo.

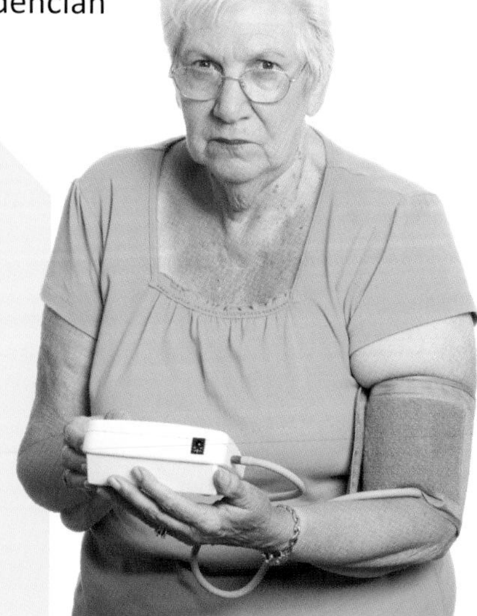

Mediciones y diagnóstico

En el proceso de diagnóstico de la hipertensión, se recomienda realizar mediciones durante 7 días consecutivos, un ejemplo puede ser: dos mediciones por la mañana (antes del desayuno y antes de tomar la medicación) y dos por la tarde (antes de cenar y de tomar la medicación). Este esquema debe repetirse cada dos semanas durante la fase de ajuste del tratamiento y, luego, una semana al mes en la etapa de seguimiento, pero puede adaptarse a cada paciente en particular según indicación médica.

- Cuando se registra presión arterial elevada en tomas casuales, fuera del ámbito de la consulta médica o el hospital.
- Cuando se encuentran alteraciones relacionados con órganos vulnerables a la hipertensión (daño renal, enfermedad coronaria, rigidez arterial).
- Cuando el paciente está en tratamiento antihipertensivo.
- Cuando varían muchos los valores de la presión arterial en tomas diversas en la consulta médica.

Control durante el tratamiento

Siempre es importante mantener **regularidad** en el **control** de la presión arterial en el hogar. Pero no hace falta mantener la misma **frecuencia** que durante el proceso de diagnóstico. Una vez que la persona inició el **tratamiento** y los **valores** de presión cumplen con los **esperados**, no es necesario realizar un control tan riguroso de los valores de la presión arterial.

Elección del equipo

Para el **monitoreo domiciliario** de la presión arterial se utilizan **equipos automáticos** o **semiautomáticos** de brazo. Se debe prestar especial atención al tipo de **brazalete** (o manguito) para que sea adecuado a la circunferencia del brazo. Antes de comprar un aparato es importante pedir asesoramiento al médico. Se recomienda llevárselo para que determine si es preciso en la medición. Es muy importante cuidar el equipo, asegurarse de que el **tubo** no se doble y controlar que no tenga **grietas** o **fugas**. En caso de tener un tensiómetro digital, mantenerlo lejos de fuentes de calor.

Un tensiómetro con un brazalete de la medida inadecuada puede generar mediciones erróneas de la presión arterial.

Los tensiómetros

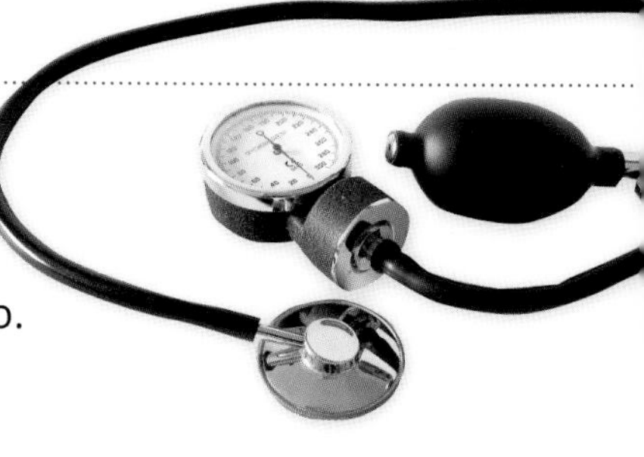

Para realizar una correcta Auto Medición de la Presión Arterial es fundamental que el aparato utilizado esté en óptimas condiciones y sea preciso. Los dos tipos de **tensiómetros** que existen son el **manual** y el **digital**.

Tensiómetro clásico

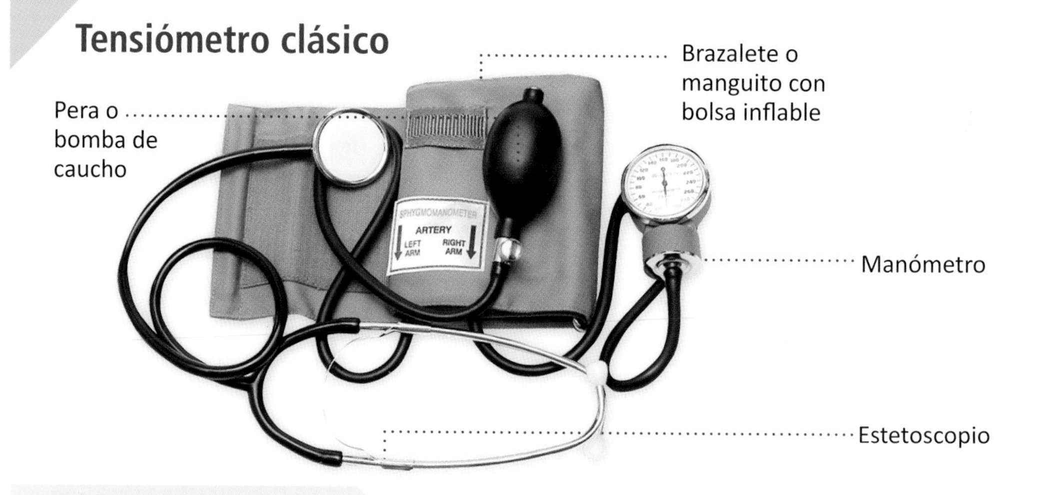

¿Por qué no sirven los aparatos de muñeca?

Se desaconsejan los **aparatos de muñeca** porque pueden dar lugar a importantes **errores** derivados de una posición incorrecta del brazo y de la muñeca. Tampoco se recomiendan los que toman la presión en el dedo, porque están muy influenciados por la posición y por el estado de la **circulación**.

Tensiómetro digital

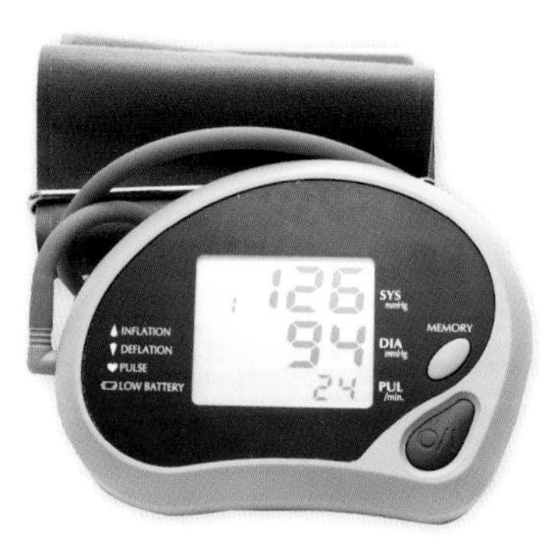

Mantenimiento del tensiómetro

El aparato debe ser controlado, por lo menos, una vez al año para su recalibración. Se recomienda, también, llevar el equipo propio a la consulta médica para verificar su correcto funcionamiento, comparándolo con el aparato del profesional.

El diagnóstico

Para que una persona sea diagnosticada como **hipertensa**
se tiene que dar alguna de las siguientes situaciones:
- Una **emergencia o urgencia hipertensiva**.
- Constatación en dos o más oportunidades de **valores mayores o iguales a 140 / 90 mmHg**.

Factores de riesgo

Además del **componente hereditario** en el desarrollo de la enfermedad, las personas que presentan algunos de los siguientes **factores** tienen un riesgo más alto de sufrir hipertensión:
- Obesidad.
- Tabaquismo.
- Diabetes.
- Consumo excesivo de sal en la dieta.
- Consumo excesivo de alcohol.
- Estrés.

Diagnóstico

La hipertensión puede ser diagnosticada solamente por profesionales médicos.

Tratamiento farmacológico

Se ha demostrado que en los casos de **hipertensión estadio 1** (140-159 / 90-99 mmHg) el **tratamiento** con **fármacos no reduce el riesgo de accidente cerebrovascular**, **infarto** o **muerte**. En estos casos, el tratamiento inicial con dieta y ejercicio mostró ser lo más adecuado, dado que el beneficio del uso de medicamentos no superó los efectos adversos que estos pueden traer. Sin embargo, si en futuros controles no se alcanzan las metas de presión adecuada, se debe iniciar el tratamiento farmacológico. En los casos de **hipertensión en estadio 2 y 3,** aunque se recomienda, ejercicio, dieta y dejar de consumir tabaco, desde el momento del diagnóstico se trata con **medicamentos**.

EL HOLTER DE PRESIÓN

En los casos en que existe gran discordancia entre los valores de tensión arterial obtenidos en el consultorio y la mediciones que realiza el paciente fuera de la consulta, o en personas que tienen grandes variaciones de la presión durante el día, se puede solicitar un control más estricto, o monitoreo ambulatorio de la presión arterial (MAPA) que se realiza con un aparato denominado Holter de presión.

Actividades:

La persona debe continuar con el tratamiento que está realizando y hacer, en lo posible, su vida cotidiana: ir a trabajar, a la escuela, realizar las comidas habituales y el resto de sus actividades normalmente. Sin embargo, no puede bañarse, hacer ejercicios ni retirar o movilizar el aparato.

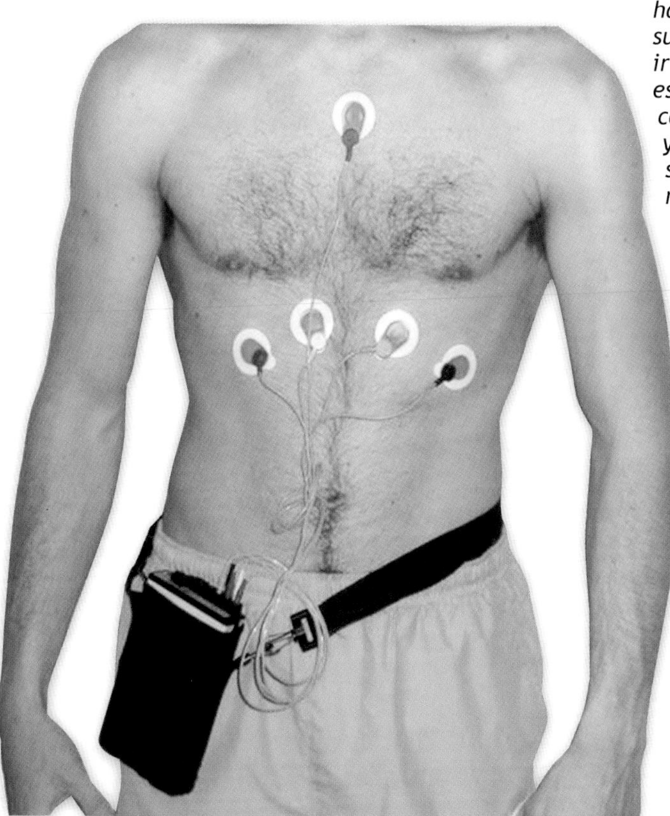

Registro:

Se le indicará al paciente que anote los horarios y las actividades que realizó durante ese período para que luego, el médico los correlacione con las mediciones obtenidas.

El Holter de presión se coloca en **el brazo no dominante**, es decir, si la persona es diestra, en el izquierdo y viceversa. Se deja **24 horas** para **monitorear** la **presión arterial** cada 15 minutos durante el día y cada 20 minutos durante la noche.

El control periódico

Las personas hipertensas deberán realizar **controles frecuentes**, hasta que la presión esté estabilizada y se evalúe el daño que pudo causar en el organismo. En estos controles, el médico recabará datos de la **historia del paciente** (estilo de vida, antecedentes familiares o personales de eventos cardio o cerebrovasculares, síntomas, consumo previo de medicamentos) para determinar el **riesgo cardiovascular global**.

Riesgo cardiovascular global

Es la **probabilidad** que tiene una persona de desarrollar una **enfermedad cardiovascular** en los próximos **10 años**, basado en el número de factores de riesgo presentes en el individuo. Existen **tablas de predicción** que fueron elaboradas por la Organización Mundial de la Salud (OMS) y la Sociedad Internacional de Hipertensión (ISH) que permiten calcular este riesgo teniendo en cuenta la **edad**, la **presión arterial**, el **sexo,** el **consumo de tabaco** y la presencia o ausencia de **diabetes mellitus**.

Con qué frecuencia se deben hacer las consultas

Si la persona hipertensa está estable y **bien controlada en su hogar**, alcanza con un seguimiento de **periodicidad trimestral** o **semestral**. En caso de que el control no sea satisfactorio, el médico establecerá otra frecuencia de consulta, sobre todo, si se observa alguna de las siguientes situaciones:

- Niveles elevados en la medición de la presión arterial.
- Factores de riesgo (obesidad, tabaquismo).
- Enfermedades asociadas (diabetes, etc.).
- Falta de constancia en el cumplimiento del tratamiento.

En cada control el médico realizará un **examen físico** que incluye la **medición de la presión arterial** y la **frecuencia cardíaca**.

Consulta médica

Una vez que se ha logrado estabilizar la presión arterial, las visitas de seguimiento se pueden hacer a intervalos de 6 a 3 meses.

Estudios para evaluar el daño

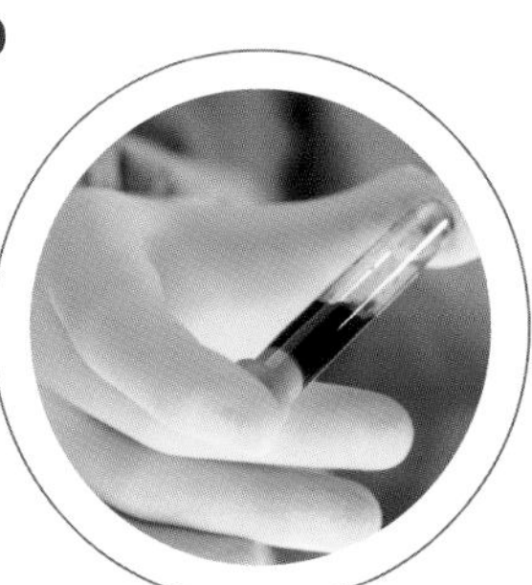

Para evaluar los posibles daños orgánicos se suelen solicitar los siguientes estudios:

- **Fondo de ojos** para descartar lesiones en la retina.
- **Electrocardiograma** para evaluar el corazón.
- **Análisis de orina** para ver el funcionamiento renal.
- **Análisis de sangre** para evaluar el colesterol, la glucemia, entre otros.

En personas en las que se detectan alguna de estas complicaciones, las visitas al médico serán más frecuentes y se podrán solicitar **estudios de mayor complejidad**.

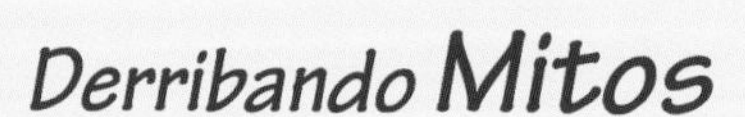

"Mi presión varía constantemente, debo tener algo grave."

La variación de la presión arterial es un fenómeno normal. Durante el día, la presión varía continuamente, dependiendo de la actividad que se realice. Habitualmente, a la mañana está más elevada y durante el sueño desciende.

También se producen modificaciones producto del estrés, los alimentos, medicamentos o enfermedades. Es por eso que siempre se recomienda realizar varias mediciones en diferentes momentos del día y en distintas situaciones.

¿Cómo se trata?

Junto con el tratamiento farmacológico, el cambio de algunos hábitos de vida, como seguir una dieta saludable o hacer actividad física, es uno de los aspectos más importantes en el control de la hipertensión arterial.

Ante la detección de la hipertensión será necesario modificar algunas costumbres en la alimentación, en particular, la **supresión del agregado de sal** en las comidas y el **control del sodio** en los alimentos procesados. El aumento del **ejercicio físico** también es fundamental para controlar los valores de la presión arterial, así como para mantener un peso saludable.

▶▶ Fármacos

Respecto al **tratamiento farmacológico**, más allá de la causa de la hipertensión, existe una **gran variedad de medicamentos** que suele emplearse en etapas, hasta encontrar el **plan personal** que funciona para cada paciente. Lo importante es que el médico realice este **seguimiento**.

Una alimentación sana

Adiós a la sal

Una de las primeras medidas no farmacológicas que se le recomiendan a una persona con hipertensión es suspender el consumo de sal. Para ello, hay que tener en cuenta que muchos alimentos ya preparados contienen grandes cantidades de este mineral, como los embutidos, fiambres o carnes frías, caldos, sopas y arroz deshidratados o algunos quesos.

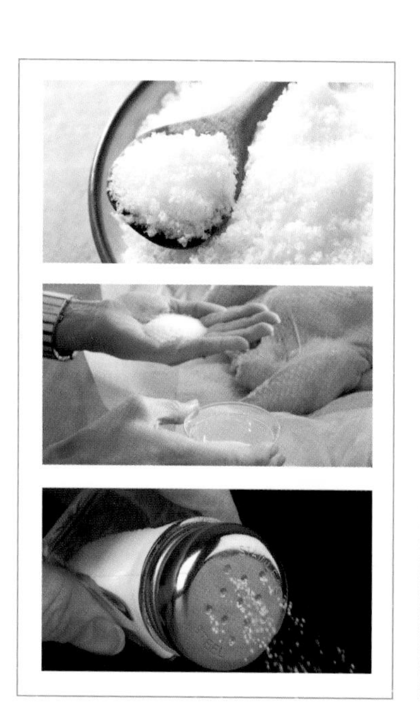

¿QUÉ SE RECOMIENDA CONSUMIR?

Algunos alimentos pueden ser grandes aliados en la lucha contra la hipertensión arterial.

Incorporar otros condimentos

Para las personas hipertensas, lo mejor es eliminar el salero e incorporar otros condimentos en la preparación de comidas y en la mesa. Algunos se pueden usar para todo tipo de platos y aportan sabores muy intensos como: ajo, pimienta, pimentón o páprika, laurel, tomillo y albahaca.

Salsas clásicas

Salsas clásicas como el pesto (albahaca, nuez, ajo y aceite de oliva) y la provenzal (ajo y perejil) son excelentes opciones para una alimentación libre de sal agregada.

Condimentos especiales

Otros que se pueden usar en carnes, pastas o ensaladas y no están tan incorporados son: anís, hinojo, vainilla, clavo, canela, cardamomo, jengibre seco, menta seca, nuez moscada. Estos condimentos otorgan un sabor y perfume especial a las comidas.

Hierbas

También existen diferentes hierbas y especias que, en pequeñas cantidades, brindan un sabor diferente a los alimentos, como comino, cúrcuma, eneldo, mostaza en grano, salvia y romero. Se pueden utilizar para condimentar carnes, verduras, legumbres, sopas, arroces y papas, es decir, una gran variedad de platos.

Jugo de limón

El jugo de limón ayuda a aumentar el sabor de los alimentos y es un ingrediente imprescindible en un plan de alimentación sin sal.

Cantidad de potasio de algunos alimentos

	ALIMENTO	POTASIO (mg)
Vegetales	Papa mediana	926
	Batata (camote) mediana	540
	Espinaca cocida (1/2 taza)	290
	Zucchini (calabacita) cocido (1/2 taza)	280
	Tomate (jitomate) (1/2 taza)	210
	Hongos (1/2 taza)	110
	Pepino (1/2 taza)	80
Frutas	Banana (plátano) mediana	420
	Damascos o chabacanos (1/4 taza)	380
	Naranja mediana	237
	Manzana mediana	150
Lácteos descremados	Leche (1 taza)	380
	Yogur (1 taza)	370
Carnes	Pescados (85 gramos)	200-400
	Cerdo (85 gramos)	370
	Vaca (res) / pollo (85 gramos)	210

La dieta DASH

¿Por qué se llama DASH?

El **Instituto del Corazón, Pulmón y Sangre** de los **Estados Unidos** demostró que siguiendo un **plan alimentario bajo en grasas** y **colesterol** y **rico** en **frutas**, **lácteos descremados y vegetales**, se disminuía la presión arterial. A esta dieta se la denominó **DASH** por sus siglas en inglés ***Dietary Approaches to Stop Hypertension*** **(Enfoques Dietarios para Detener la Hipertensión)**.

Dieta efectiva

Durante la prueba original de la dieta DASH, los participantes que siguieron el plan por ocho semanas mostraron una disminución importante en sus lecturas de presión sanguínea sistólica y diastólica.

¿Qué alimentos incluye?

El plan de la dieta incluye **alimentos ricos en potasio**, **calcio** y **magnesio** (minerales relacionados con la reducción de la hipertensión arterial), **proteínas** y **fibras**. A la vez, **reduce** las cantidades de **grasas saturadas**, **colesterol**, **dulces** y **carnes rojas**. La mayor parte de la dieta está conformada por granos integrales, frutas y vegetales frescos, productos lácteos descremados, carnes de ave, pescado y frutas secas.

Qué consumir

Los requerimientos nutricionales diarios para una dieta de 2000 calorías incluyen de **seis a ocho porciones de granos integrales**, de **cuatro** a **cinco** de **frutas**, de **cuatro** a **cinco** de **vegetales** y de dos a **tres porciones de lácteos descremados**. Las frutas secas, las semillas y las legumbres deben ingerirse, al menos, cuatro veces por semana. En cambio, los dulces no deben consumirse más de cinco veces por semana.

La actividad física

Toda persona con hipertensión debería realizar ejercicio físico de manera regular por indicación médica. Esto es tan importante como tomar los medicamentos. Hacer **actividad física** contribuye al bienestar general y a la **salud** de diversas formas, entre ellas, además de contribuir a reducir la **presión arterial**, reduce la **frecuencia cardíaca** y el **riesgo de infarto de miocardio**. Además, favorece la **pérdida de peso**, mejora los niveles de **colesterol**, fija el **calcio óseo** y reduce los niveles de **ansiedad**.

La circulación colateral

Se ha comprobado que realizar actividad física de forma regular, **dilata** los **pequeños vasos sanguíneos** e, incluso, se considera que en el músculo entrenado aparecen **nuevos capilares**, que bien pueden ser los que antes se mantenían cerrados y que ahora se han abierto ante el estímulo funcional del ejercicio, o que efectivamente el organismo genera estructuralmente nuevos caminos para la circulación; a esto se lo denomina **"circulación colateral"**.

Qué ejercicios se pueden hacer

Las personas con **hipertensión en estadio 1** o los **hipertensos controlados** pueden realizar **cualquier ejercicio físico**, siempre que estén monitoreados por el médico. En **hipertensos en estadio 2** están desaconsejados los ejercicios físicos que conlleven un alto impacto.

Disminución de la presión

Inmediatamente después de una sesión de ejercicio, la presión arterial puede disminuir entre 5 y 21 mmHg.

30 MINUTOS

El tipo, duración e intensidad del ejercicio físico tiene que estar supervisado por un profesional. Se debe seguir un programa de entrenamiento que busque mejorar la situación cardiovascular, de resistencia y flexibilidad. Se sugiere realizar actividades que movilicen los grandes grupos musculares todos los días, durante 30 minutos como mínimo.

Si existen niveles de presión arterial mayores a 200/110 mmHg, se contraindica la realización de ejercicio físico hasta que no sea controlada.

Evitar la hipotensión

Hay que tener en cuenta que, cuando se finaliza un ejercicio físico, se produce un **descenso rápido de la presión arterial**. Por eso no es aconsejable detener súbitamente la actividad, para no producir un cuadro de **hipotensión** que pueda llevar a un **mareo** o **lipotimia**. Entonces, si se está corriendo, se recomienda bajar la velocidad lentamente hasta finalizar con una caminata que dure, al menos, 5 minutos antes de detenerse por completo.

Consejos para realizar actividad física

- Empezar con sesiones de 15 minutos e ir aumentando gradualmente el tiempo hasta llegar a los 30 minutos diarios recomendados.
- Realizar ejercicio de intensidad moderada, es decir, poder hacer ejercicio y hablar al mismo tiempo, sin tener la voz entrecortada.
- Optar por actividades aeróbicas que oxigenan el organismo como: caminar, trotar, nadar, bailar, andar en bicicleta, patinar, etc.
- Elegir lugares abiertos, bien iluminados y aireados. La mejor opción siempre es al aire libre.
- Durante épocas de calor, preferir las horas del día en que la temperatura disminuye, como la mañana temprano o el atardecer.
- Incluir otras actividades cotidianas como ejercicios físicos, tales como jardinería, limpieza del hogar, ir caminando al trabajo, subir y bajar escaleras, etc.

Dejar de fumar

El tabaquismo es un hábito totalmente desaconsejado para todas las personas, y en especial para las que padecen cualquier enfermedad crónica. Por eso, **dejar de fumar** tiene que ser una de las primeras medidas a tomar por quien padece **hipertensión**.

Libre de humo

Es importante mantener los ambientes de la casa y el trabajo libres de humo de tabaco.

Humo tóxico

La **exposición al humo del cigarrillo** también es un **riesgo** para un hipertenso. Personas no fumadoras pero que conviven con otras que sí lo hacen, pueden presentar complicaciones en la salud. Estar expuesto a este humo aumenta la posibilidad de padecer **enfermedad coronaria** en un 20-30 %.

El efecto de la nicotina

Fumar cigarrillos se asocia con un **aumento transitorio** de los niveles de **presión arterial**, tanto en personas con hipertensión como en individuos con valores normales. Inmediatamente después de fumar un cigarrillo, por efecto de la **nicotina**, aumentan en el organismo los niveles de ciertas sustancias que provocan una **contracción** de los **vasos sanguíneos**. Como consecuencia, es necesaria más fuerza para que la sangre circule y es así como se eleva la presión arterial.

Una pareja peligrosa

La **conjunción de hipertensión arterial** y **tabaquismo** hace que se potencien los efectos negativos de ambos, y compromete el funcionamiento del corazón, lo que aumenta hasta 4.5 veces el **riesgo coronario**. También crecen las probabilidades de sufrir un **accidente cerebrovascular** (de 1.5 a 2 veces más que en personas no fumadoras). En los hombres se cuadruplica el riesgo de **enfermedad vascular periférica**. Otra complicación asociada con esta combinación es la **insuficiencia renal**.

El tratamiento farmacológico

Tratamiento personalizado

El tratamiento farmacológico debe ser diseñado para cada persona en función del nivel de hipertensión y otros factores como daños orgánicos.

Existen **distintos tipos de medicamentos** que **reducen** la **presión arterial** a través de diferentes mecanismos. Por esto, no todas las personas utilizan los mismos fármacos. De acuerdo al **estadio de hipertensión** que tenga un paciente, puede empezar con un medicamento o con varios combinados.

Cómo se elige el tratamiento

Entre los factores que el médico tiene en cuenta para elegir el **esquema** del **tratamiento** se encuentran la **edad**, el **sexo**, el **origen étnico** y el **compromiso** de otros **órganos** (es decir, si hay daño en el corazón, riñones o vasos cerebrales), así como también la presencia de otras **enfermedades crónicas**.

Recomendaciones para manejar la medicación:

- Aunque la presión se normalice, siempre **hay que continuar con el tratamiento**, de lo contrario, volverá a subir y esto puede poner en riesgo la salud.
- Para no olvidarse de **tomar** las **pastillas** es mejor hacerlo **siempre a la misma hora**. Puede ser a la hora de acostarse y dejarlas arriba de la mesa de noche/luz, o bien en el desayuno y tener las pastillas en la alacena.
- Es conveniente **registrar el nombre génerico del medicamento** por si no se consigue una determinada marca comercial.

Tipos de fármacos

Existen muchos tipos de fármacos que actúan regulando la presión arterial de diferentes maneras. Lo importante es que sean indicados por un médico y que, luego, el paciente tenga un **control periódico** para **evitar** posibles **efectos secundarios**. En general, el **primer fármaco** que prescribe el médico es un **diurético**. También pueden prescribirse **bloqueantes** que impiden la entrada del **calcio** en las células (calcioantagonistas), lo que disminuyen la tendencia de las arterias pequeñas a estrecharse y reducen la resistencia vascular; u otros que cumplen una función similar que se denominan **inhibidores de la enzima convertidora de angiotensia.**

Diuréticos

Los diuréticos actúan aumentando la **eliminación de orina** y **sal** del organismo, lo que sirve para **bajar la presión arterial** debido al líquido perdido y porque disminuyen la resistencia al flujo sanguíneo de los vasos. Al tomar este tipo de medicamento, la persona nota que orina mucho más frecuentemente y más rápido tras la ingesta de líquidos. Son recomendables debido a que los efectos colaterales son pocos. Puede producir **pérdida de potasio**, por eso, se deben controlar los niveles de potasio en sangre mediante análisis y, si es necesario, tomar **suplementos** de este mineral.

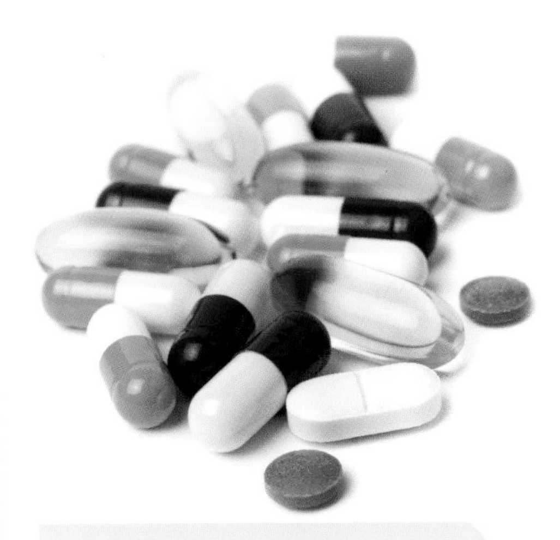

Adrenalina

Otro fármaco que se receta son los betabloqueantes, ya que actúan bloqueando muchos efectos de la adrenalina en el cuerpo, en particular el efecto estimulante sobre el corazón. El resultado es que el corazón late más despacio y con menos fuerza. Es así que reducen la frecuencia cardíaca y el consecuente gasto cardíaco.

¿QUÉ HAY QUE TENER EN CASA?

En la casa de toda persona hipertensa hay ciertos elementos que no pueden faltar.

Alimentos:

Hay que tratar de tener siempre en el hogar verduras, frutas, lácteos descremados y otros alimentos sin grasa, ya que evitar el sobrepeso es fundamental para mantener controlada la presión arterial.

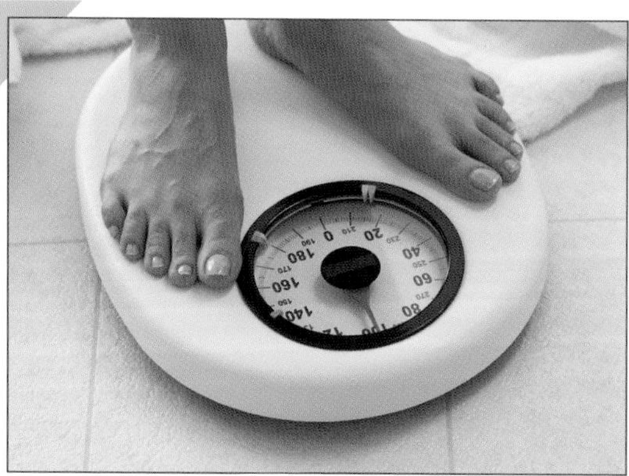

Balanza:

Junto con la dieta, la balanza (báscula) doméstica ayuda a mantener el control del peso, ya que permite pesarse todos los días y así detectar si se están cometiendo excesos en las comidas.

Condimentos sin sodio:

Es imprescindible sustituir la sal por otros condimentos ricos en potasio y sin sodio. Lo más aconsejable es tener un buen especiero con variedad de condimentos para darle sabor a las comidas.

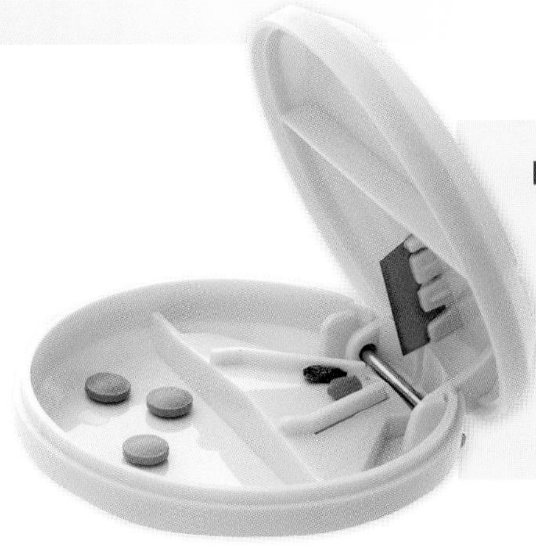

Medicación: 

Se aconseja tener un pastillero con la medicación indicada para el control de la presión, ya que es una manera práctica e higiénica de conservar los remedios y de trasladarlos, en caso de que sea necesario.

Tensiómetro:

El tensiómetro (baumanómetro) es un aparato fundamental para el autocontrol de la presión arterial en el hogar. Se recomienda para uso doméstico el modelo digital, ya que el tradicional requiere, además, un estetoscopio.

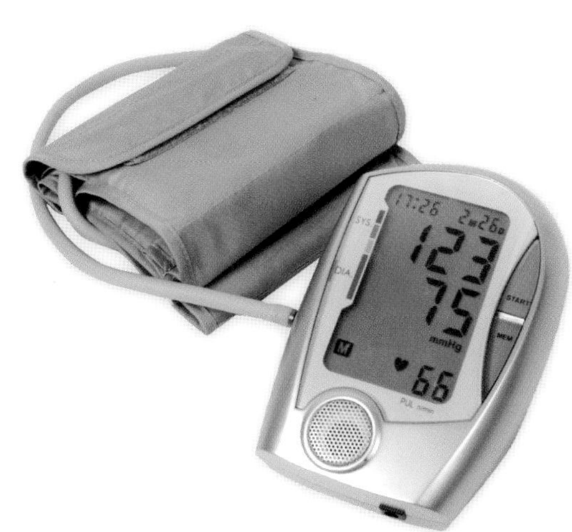

Planillas de registro:

Siempre hay que llevar el registro de las mediciones de presión realizadas en el hogar para luego poder entregársela al médico en la consulta. Es conveniente tenerlas siempre en el mismo lugar de la casa.

Los riesgos de la automedicación

Por qué nos automedicamos

Algunos de los **síntomas** que con mayor frecuencia motivan la **automedicación** son los **estados gripales**, el **ardor de estómago** y las molestias asociadas con la **digestión**, el **dolor de cabeza** y los **dolores articulares** y **musculares.** En las **mujeres** es frecuente el uso de **pastillas anticonceptivas** y, en los **varones**, los medicamentos para mejorar el **rendimiento sexual**.

Medicamentos e hipertensión

Muchos medicamentos pueden aumentar la presión arterial o anular los beneficios de fármacos usados para tratar la hipertensión. Es el caso de los **antiácidos** que cubren la mucosa del estómago e impiden la absorción de los medicamentos antihipertensivos. También de **descongestivos** con **efedrina**, que producen **vasoconstricción** y pueden aumentar la presión arterial.

Derribando Mitos

"Ya tengo la presión dentro de los valores normales, ¿para qué voy a seguir con el tratamiento?"

La hipertensión arterial es una enfermedad crónica, en la gran mayoría de los casos. Puede ser perfectamente controlada, pero no curada. Es decir, que la presión arterial se mantiene regulada gracias al tratamiento (reducción del consumo de sal, actividad física y, cuando corresponda, fármacos) y, si este se suspende, inmediatamente volverá a subir.

¿Se puede prevenir la hipertensión?

Existen algunas medidas que se pueden tomar para prevenir la hipertensión. Las principales son: mantener un peso corporal saludable, reducir el consumo de sal y de bebidas alcohólicas y aumentar la actividad física.

Como la mayoría de las **enfermedades crónicas no transmisibles**, la **hipertensión** se puede **prevenir** llevando un **estilo de vida saludable**. Si bien puede haber una **predisposición hereditaria**, la forma en que una persona se alimenta, el sedentarismo y el **sobrepeso** influyen negativamente sobre el estado de la salud.

Factores no modificables

Algunos de estos factores son la **edad**, el **sexo** y el **origen étnico**. La presión arterial tiende a aumentar con la **edad**: en la adultez alcanza un valor de **140 mmHg**. Los varones, durante la adolescencia, presentan un aumento en comparación con las mujeres.

Reducción del consumo de sal

Sodio

El cuerpo solamente necesita pequeñas cantidades para funcionar adecuadamente de manera adecuada.

La mayoría de los alimentos frescos no contiene sal, como es el caso de las frutas y las verduras, aunque algunos contienen sodio de forma natural, como los mariscos y ciertas vísceras (hígado y riñones).

La **sal**, o **cloruro** de **sodio**, está compuesta, aproximadamente, por un 40 % de sodio y un 60 % de cloro. El sodio es **indispensable** para el funcionamiento del organismo pero, consumido en exceso, puede generar **desequilibrios**.

Qué pasa si se consume en exceso

Consumir más cantidad de sal de la necesaria puede afectar, entre otras cosas, a los **riñones**, que son los que mantienen el equilibrio del sodio almacenado en el cuerpo para su aprovechamiento óptimo. Cuando esto sucede, el **exceso de sal** no se puede eliminar por los riñones, por lo que **se acumula en la sangre** atrayendo el agua e incrementando el **volumen** de sangre circulante. Esto hace que el **corazón** trabaje más para mover la sangre y se eleve la presión, produciendo **hipertensión arterial**, entre otros problemas.

Por qué es importante el sodio

El sodio es necesario para:
- Controlar la cantidad de agua del cuerpo humano.
- Regular los fluidos del cuerpo.
- Ayudar a que el cuerpo esté hidratado, introduciendo agua en el interior de las células.
- Ayudar a transmitir impulsos nerviosos y a la relajación muscular.

Consumimos sal sin darnos cuenta

En gran parte de la población, la mayor cantidad de sal en la dieta proviene de los **platos preparados y precocinados**, incluyendo el **pan**, productos de **copetín** o **botanas**, **sopas deshidratadas** e incluso **cereales** para el desayuno. Además, muchos **alimentos contienen naturalmente sodio**.

Entonces, por más que una persona no agregue sal durante la cocción o al servir un alimento, igualmente alcanza la cantidad recomendada para un día.

Cantidad recomendada

La cantidad recomendada de ingesta de sal para una persona debe ser inferior a 5 gramos por día. Esto equivale a una cucharadita de café. Sin embargo, se ha comprobado que en América, el consumo puede llegar a ser más del doble del nivel recomendado.

Problema mayor

El mayor problema no es el agregado de la sal en la mesa sino lo que se consume sin saberlo.

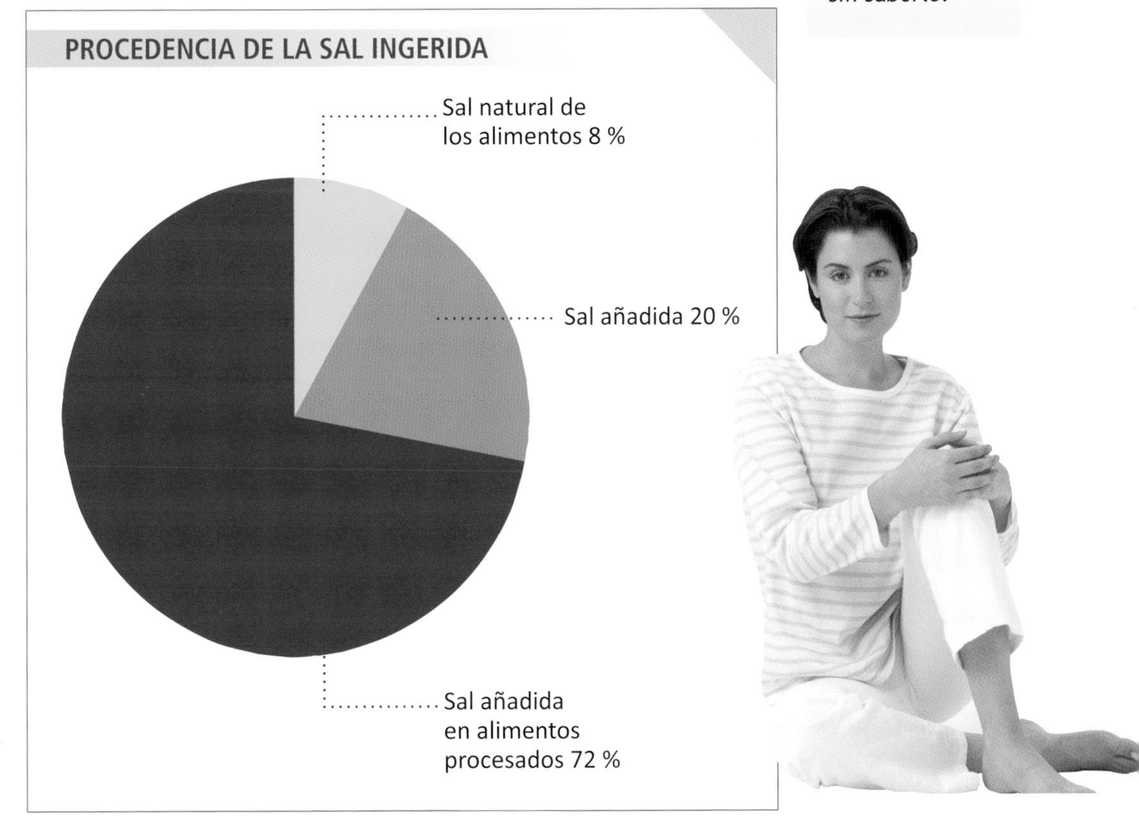

La información nutricional

La mayor parte del sodio que ingerimos se encuentra en los alimentos procesados, por la **adición** específica de **sal** o por la de **aditivos** que contienen **sodio**. Por esto, antes de comprar un alimento envasado, conviene comprobar cuánta sal tiene. Esta información figura en la **lista de ingredientes** y en el **cuadro nutricional** que aparecen en las **etiquetas** de los envases.

Es importante saber leer la información nutricional que brindan las etiquetas de los productos alimenticios.

Qué información aportan las etiquetas

El etiquetado de los productos alimenticios aporta al consumidor información sobre el **contenido de energía** (o **valor energético**) y **nutrientes** que componen el alimento envasado.

Así también menciona la **cantidad de sodio** que contiene. Para calcular el **contenido de sal** de un alimento hay que **multiplicar por 2.5 los gramos de sodio** que indica la etiqueta.

Un ejemplo

Una sopa deshidratada para taza de 15 gramos indica que contiene 0,607 gramos de sodio. Esto implica que tiene más de 1,5 gramos de sal. Es decir que con esta sola porción estaríamos ingiriendo el 25 % de sal recomendada por día.

25 % de sal recomendada por día.

No todo lo que tiene sodio es salado

La información nutricional permite comprobar qué **alimentos** y **bebidas** llevan sal añadida o algún conservante que contiene sodio. De ese modo se puede descubrir que ciertos tipos de alimentos y bebidas, que no se identifican como de **sabor salado**, contienen grandes cantidades de **sal**. En cambio, hay alimentos que, aunque no lo especifiquen en la etiqueta, son bajos en sodio.

Qué es un alimento bajo en sodio

Se considera a un alimento bajo en sodio cuando tiene menos de 120 mg cada 100 gramos de producto y muy bajo cuando es inferior a 40 mg. (ver en anexo listado de productos con alto contenido de sodio).

La sal oculta

Los **alimentos** que tienen **mayor contenido de sodio** en su elaboración son: fiambres o carnes frías, quesos duros, embutidos, snacks o botanas industrializados (papas fritas, etc.), caldos concentrados y saborizadores, pescados y carnes preparadas, conservas y encurtidos. Es importante no solo **reducir el consumo de la sal de la mesa** sino también el de **alimentos con grandes cantidades de sal oculta**, como los mencionados más arriba.

Datos útiles

Las etiquetas permiten identificar los alimentos que contienen más cantidad de sal para limitar la frecuencia de consumo.

INFORMACIÓN NUTRICIONAL EN LOS PAQUETES DE ALIMENTOS

Información Nutricional

Tamaño de la porción 1 taza (240 g)

Cantidad Por Porción	
Calorías 41	Calorías de la grasa 0
	% del valor diario
Grasa total 0 g	0 %
Grasa saturada 0 g	0 %
Grasa trans 0 g	
Colesterol 0 g	0 %
Sodio 24 mg	1 %
Carbohidrato total 10 mg	3 %
Fibra vegetal 2 g	10 %

Información nutricional (porción 30 g = 6 galletitas)

	CANTIDAD POR PORCIÓN	% VD (*)
Valor energético	121 Kcal = 508 Kj	6
Carbohidratos	19 g	6
Proteínas	3.2 g	4
Grasas totales	3.8 g	7
Grasas saturadas	0.3 g	1
Grasas trans	0.4 g	...
Fibra alimentaria	1.6 g	6
Sodio	228 mg	10

(*) Valores diarios con base a una dieta de 2000 kcal u 8400 kj. Sus valores diarios pueden ser mayores o menores dependiendo de sus necesidades energéticas.

En el ejemplo de estas galletitas, el cuadro indica que consumiendo 6 unidades se incorpora un 10 % de la cantidad diaria necesaria de sodio.

El valor diario de sodio

Para tener en cuenta

- La etiqueta de información nutricional incluye el **porcentaje del valor diario** (% del VD) de sodio en cada porción de un alimento.
  - El % del VD para el sodio se basa en el **100% de la cantidad recomendada** (2000 mg)
  - El % del VD incluido es para **una porción**; como en un paquete puede haber más de una porción, habrá que multiplicar el porcentaje por la cantidad de porciones ingeridas.

Comer y beber de forma saludable

Además de reducir la ingesta de sal, es importante seguir una **dieta equilibrada** y **saludable**. Disminuir las porciones, **consumir frutas** y **verduras**, **evitar** las **grasas** e incorporar los distintos grupos de alimentos ayuda a evitar el **sobrepeso** y la **obesidad**.

Obesidad central

Según estudios, el exceso de peso está asociado con un riesgo entre dos y seis veces mayor de padecer hipertensión. Un indicador del sobrepeso es el aumento de la cintura, denominado "obesidad central", que también ha demostrado ser un indicador de esta enfermedad.

CIRCUNFERENCIA DE LA CINTURA

La Organización Mundial de la Salud estableció umbrales según la circunferencia de la cintura para identificar en las personas el riesgo de padecer determinadas enfermedades, entre ellas, la hipertensión.

	MUJERES	VARONES
Bajo riesgo	≤79 cm	≤ 93 cm
Riesgo elevado	80-87 cm	94 - 101 cm
Riesgo muy elevado	≥88 cm	≥ 102 cm

Cómo tomar estas medidas:

- Sin ropa, es decir, directamente sobre la **piel**.
- Al **final** de una **espiración normal**.
- Con los **brazos relajados** a cada lado.
- A la altura de **la mitad de la axila**, en el punto que se encuentra entre la parte inferior de la **última costilla** y la parte más alta de la cadera.

Cómo elegir el menú

Preparar comidas saludables en el hogar

Es importante, a la hora de escoger los **ingredientes** para preparar la comida, tener en cuenta algunas pautas sencillas que permiten **reducir** de manera significativa la ingesta de **sodio**. Por ejemplo:

- **Usar ingredientes frescos** o que no tengan sal añadida.
- **Reemplazar la sal** por otro condimento (puede quitarse de cualquier preparación excepto de las que llevan levadura).
- **Evitar comidas procesadas** como: sopas enlatadas o deshidratadas, vegetales en conserva, mezclas de pasta o de arroz, comidas congeladas, polvos para condimentar carnes, arroces y frijoles procesados.
- **Usar jugo de naranja** como base para el adobo de carnes.
- En caso de necesitar comidas congeladas, elegir las que tienen menos de **600 mg de sodio**. Leer cuidadosamente la información nutricional.
- Evitar aderezos, condimentos o especias que contengan sal, como la sal de ajo.

Consejos para comer en un restaurante

Ser hipertenso no implica que no se pueda compartir una cena en un restaurante. El secreto es saber elegir el menú adecuado y comer con moderación.

Qué elegir

- Verduras y ensaladas.
- Platos de carne, pollo o pescado grillados, asados o a la plancha.
- Pastas frescas.
- Menúes bajos en sodio, si es que el restaurante los ofrece.
- Postres como frutas frescas, helados, gelatinas y tartas de frutas.

Qué evitar

- Bollitos de pan saborizados o con aderezos.
- Pepinillos en vinagre, aceitunas, quesos y mantequilla.
- Platos como guisos y preparados con salsas.
- Aderezos y condimentos.
- Comidas rápidas y fritas.

Combatir el sedentarismo

El **sedentarismo** está cada vez más extendido en muchos países, y ello repercute negativamente en la salud general de la población. La falta de actividad física es un **factor de riesgo para la hipertensión**.

En las personas que se ejercitan regularmente, la **grasa corporal disminuye**.
El sobrepeso está relacionado con altos valores de **presión arterial**, es por eso que realizar ejercicios físicos reduce la posibilidad de padecer hipertensión.

¿Aumenta la presión durante la actividad física?

Si bien durante la práctica de una actividad física se produce un **aumento** de la presión arterial, solo lo hace la **sistólica**. Los valores de la **diastólica** se mantienen inalterados o incluso **pueden disminuir**.

La repetición regular del ejercicio hace que el cuerpo se adapte y se produzca una **condición favorable para la circulación**.
La presión se estabiliza en un nivel más bajo y funcional para la actividad cardíaca.

Cuándo rinde la actividad física

Es importante tener en cuenta que no basta con realizar algunos minutos de actividad física, una vez cada tanto, para obtener algún resultado. Se requiere:

- Realizar como mínimo **150 minutos semanales de actividad física aeróbica moderada**, o bien **75 minutos semanales** de actividad aeróbica **intensa**.
- Practicar la **actividad aeróbica** en sesiones de **10 minutos como mínimo**.
- Incorporar **ejercicios de fortalecimiento de los grandes grupos musculares** dos o más días a la semana, por ejemplo correr o andar en bicicleta.

Seis maneras de incrementar el ejercicio en la vida diaria

1. Ir a hacer las compras o a buscar a los niños a la escuela caminando (si es cerca, caminar algunas cuadras de más).
2. Salir a caminar al menos 30 minutos a paso rápido. Si es posible, extenderlo a 1 hora.
3. Utilizar las escaleras en lugar del ascensor o elevador.
4. Si el ritmo de vida es sedentario, empezar caminando menos tiempo e ir aumentando las distancias, poco a poco.
5. Caminar en compañía o sacar a pasear a la mascota puede resultar más placentero.
6. Otras actividades que ayudan a mejorar la condición física: bailar, ir al gimnasio, jugar a la paleta o tenis, nadar.

Curiosidades sobre la sal

El consumo de sal fue de gran importancia en la historia de la humanidad. Antiguamente era muy usado como forma de conservación de los alimentos. Su importancia se puede ejemplificar en el origen del término salario debido a que se utilizaba este mineral como forma de pago, en particular a los legionarios romanos. También proviene de esa época la creencia de que trae mala suerte pasar la sal de mano en mano, ya que cuando se entregaba, si se producía un derrame, solían generarse peleas. Así, era necesario apoyarla en algún lugar para determinar a quién se le había volcado.

Los hábitos de vida saludables son la principal medida para prevenir la hipertensión.

Derribando Mitos

"No tomo café porque me puede provocar hipertensión."

El café puede elevar momentáneamente la presión arterial, sin embargo, no está demostrado que el consumo de café produzca hipertensión. Tampoco está contraindicado en las personas hipertensas.

¿Qué hacer ante una emergencia?

Una crisis hipertensiva puede generar una situación de emergencia. Tanto la persona que padece hipertensión como su entorno deben conocer las señales de alerta y saber cómo actuar frente a estas descompensaciones.

Conocer los **signos de alarma** y las **medidas preventivas** ante situaciones de emergencia ayuda a evitar complicaciones. Asimismo, frente a una emergencia grave, que pueda terminar en un **paro cardiorrespiratorio**, una persona entrenada en **maniobras de reanimación cardiopulmonar** (RCP) puede **salvar la vida** de una persona en situación de emergencia.

▸▸ Salvar vidas

El **curso de RCP** es ofrecido de manera **gratuita** en instituciones vinculadas con la salud. Cualquier persona puede hacerlo, ya que es muy simple y dura un día. Debe repetirse una vez al año, o cada dos años, para asegurarse de recordar de forma correcta las **maniobras** y estar actualizado.

Crisis hipertensivas

▸▸ Una situación de emergencia

Se denomina **crisis hipertensiva** a los episodios de **elevación aguda de la presión** arterial que pueden producir alteraciones estructurales o funcionales en órganos como el **corazón**, el **cerebro**, los **riñones**, la **retina** o los **vasos arteriales**. Se presentan frecuentemente en las personas que abandonan los tratamientos.

Factor de riesgo

La hipertensión arterial es el mayor factor de riesgo para el desarrollo de un accidente cerebrovascular agudo.

▸▸ Urgencia y emergencia

Se pueden dar situaciones de:

- **Urgencia hipertensiva:** la persona no presenta síntomas o son inespecíficos, no hay un riesgo de vida inmediato y no se produce un daño orgánico secundario. Se puede descender la presión arterial en un plazo de 24 a 48 horas administrando medicación oral.
- **Emergencia hipertensiva:** la vida de la persona está comprometida de forma inminente debido a que se producen alteraciones en algún órgano. Por lo tanto, se requiere bajar la presión arterial en el menor tiempo posible (minutos o algunas horas). El tratamiento debe ser en un ámbito hospitalario, ya que necesita la administración de fármacos por vía venosa.

Frecuencia

Aproximadamente, un 1-2% de los pacientes hipertensos desarrollará una crisis hipertensiva en algún momento de su vida. El tratamiento y el adecuado seguimiento de estos pacientes aumentan sus esperanzas de vida y disminuyen la incidencia de complicaciones.

Otra clasificación

Además de la distinción entre **urgencia** y **emergencia** hipertensiva, se pueden encontrar otros dos términos usados para clasificar las situaciones generadas por la suba de la presión arterial:

- **Hipertensión maligna:** define un síndrome caracterizado por la suba de la presión arterial acompañada de **encefalopatía** (alteración de la función cerebral) o **nefropatía** (enfermedad del riñón). Este término ha caído en desuso. El cuadro que describe está dentro de la **emergencia hipertensiva**.
- **Crisis hipertensiva falsa:** consiste en un aumento de la presión arterial pero como **fenómeno secundario** a otra **patología** clínica.

Diferentes síntomas

Las **urgencias hipertensivas**, en general, son **asintomáticas** o pueden aparecer **síntomas inespecíficos**, como cefalea, visión borrosa, sensación de mareo, náuseas, vómitos y malestar general.
En las **emergencias hipertensivas** se produce el **daño de un órgano**. Los factores de riesgo para este tipo de crisis son: presión arterial sistólica de más de 160 mmHg y diastólica de menos de 70 mmHg, diabetes, síndrome metabólico o al menos tres riesgos cardiovasculares (edad mayor de 55 años para los hombres o 65 años para las mujeres, tabaquismo, colesterol alto, glucosa en ayunas, obesidad).

Emergencia

La emergencia se define por el estado clínico general de la persona y no solo por los valores de la presión arterial.

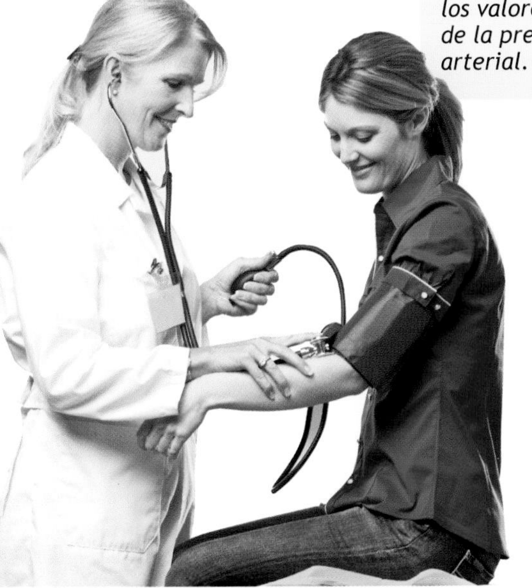

¿Qué órganos afecta más una emergencia hipertensiva?

Durante una emergencia hipertensiva los **órganos** que pueden verse afectados con mayor frecuencia son: el **cerebro**, el **corazón**, los **grandes vasos**, el **riñón** y el útero (en caso de embarazo). Según los últimos estudios, en más del 80% de los casos solo se ve dañado un órgano, aunque se pueden presentar daños en más órganos producto de la crisis hipertensiva.

Manifestaciones de emergencia hipertensiva

Se puede manifestar como:

- Accidente cerebrovascular
- Insuficiencia cardiaca
- Infarto
- Hemorragia intracraneal
- Disfunción cerebral
- Edema de pulmón

Secuelas y daños

Es posible que las **crisis hipertensivas**, si no se logran evitar o controlar a tiempo, dejen **secuelas graves** o **progresivas**. Entre los daños más frecuentes se encuentran:

- **Lesiones en la retina**: edema de papila y hemorragias.
- **Alteraciones cardíacas**: edema pulmonar, infarto de miocardio.
- **Alteraciones del Sistema Nervioso Central**: dolores de cabeza, alteraciones de la conciencia, convulsiones, alteraciones de funciones cognitivas.
- **Trastornos renales**: aumento de la creatinina o hematuria.

El tiempo estimado para evitar estas secuelas es lograr bajar la presión, como máximo, **una hora después de iniciada la crisis**.

▶▶ Señales de alarma

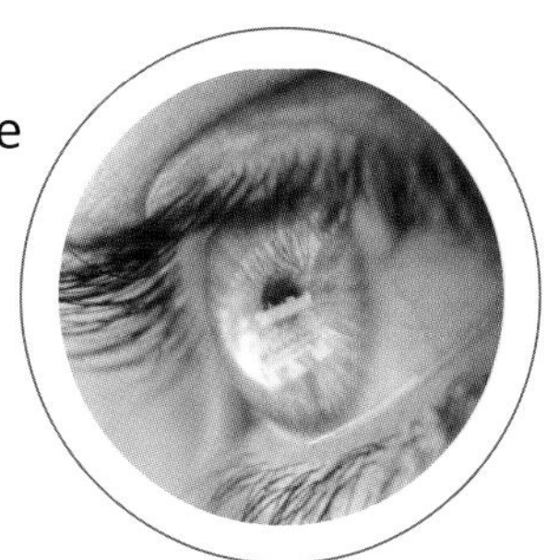

Si bien muchas veces la hipertensión no produce síntomas, es importante tener en cuenta estas manifestaciones y, frente a alguna de ellas, consultar inmediatamente al médico.

Algunas de los que se pueden presentar son las siguientes:

- Visión borrosa
- Cambios en el estado mental
- Ansiedad
- Confusión
- Disminución de la lucidez mental, reducción en la capacidad de concentración
- Fatiga
- Inquietud
- Somnolencia, estupor, letargo
- Dolor torácico (sensación de aplastamiento o presión)
- Tos
- Dolor de cabeza
- Náuseas o vómitos
- Entumecimiento o debilidad en brazos, piernas, cara o en otras áreas
- Disminución de la frecuencia en que se orina
- Convulsiones
- Dificultad para respirar

Prevención

Es importante seguir los tratamientos indicados, tanto farmacológicos como de alimentación y actividad física, para evitar estas situaciones de emergencia.

La detección a tiempo puede evitar el desarrollo de una crisis hipertensiva.

¡ATENCIÓN!

Ante la presencia de cualquiera de estas señales de alerta, se debe consultar inmediatamente al médico.

Hipotensión arterial

Cuándo se considera que la presión es baja

La **tensión baja** ocurre cuando la presión arterial, durante y después de cada latido cardíaco, es mucho menor que lo usual. Esto significa que el **corazón**, el **cerebro** y otras partes del cuerpo **no reciben suficiente sangre**.
La presión arterial que es baja para una persona puede ser normal para otra. La presión arterial normal está entre 90/60 mmHg y 130/80 mmHg, no obstante una caída significativa, incluso de solo 20 mmHg, puede ocasionar problemas para algunas personas.

Caídas peligrosas

Las caídas son particularmente peligrosas para los adultos mayores debido a que pueden producirse serias lesiones, como una fractura de cadera.

Causas de la hipotensión

Las más comunes son: consumo de alcohol o algunos fármacos como ansiolíticos, antidepresivos, diuréticos, drogas para el corazón o analgésicos. También puede desencadenarse por una diabetes avanzada, una respuesta alérgica (anafilaxia), arritmias, deshidratación, desmayo, ataque o insuficiencia cardíaca y shock.

Cómo se clasifica

Según las acciones que la produzcan, existen **tres tipos** principales de **hipotensión**. Estos son:

- **Hipotensión ortostática:** producida por un cambio súbito en la posición del cuerpo, generalmente al pasar de estar acostado a estar parado. Usualmente dura solo unos pocos segundos o minutos. Si ocurre después de comer, se denomina hipotensión ortostática posprandial y afecta más comúnmente a adultos mayores, hipertensos y personas con mal de Parkinson.

- **Hipotensión mediada neuralmente**: ocurre cuando una persona ha estado de pie durante mucho tiempo. Afecta con más frecuencia a adultos jóvenes y niños, estos últimos superan esta afección con el tiempo.

- **Hipotensión grave** producida por una pérdida súbita de sangre (shock), infección o reacción alérgica intensa.

SÍNTOMAS

Los principales síntomas de la presión arterial baja son los siguientes:

- Visión borrosa
- Confusión
- Vértigo
- Desmayo
- Mareo
- Somnolencia
- Debilidad

¿Qué hacer en caso de hipotensión?

Cuando una persona tiene síntomas de una caída en la presión arterial debe **sentarse** o **acostarse** inmediatamente y **levantar** los **pies** por encima del nivel del corazón.

Si la presión arterial baja produjo un **desmayo**, es decir que la persona quedó **inconsciente**, es necesario buscar asistencia de forma inmediata, ya sea llevándolo a un **hospital** o llamando a **emergencias médicas**. Además, **si no hay pulso**, deben iniciarse **maniobras** de **Reanimación Cardiopulmonar** (**RCP**).

Alerta

Es importante estar atentos a los síntomas de la hipotensión y tomar las medidas necesarias para prevenirlo.

Cinco medidas para prevenir la hipotensión:

1. Evitar el consumo de alcohol
2. No permanecer de pie por mucho tiempo
3. Tomar mucho líquido
4. Incorporarse lentamente después de estar sentado o acostado
5. Usar medias de compresión para incrementar la presión arterial en las piernas.

Reanimación Cardiopulmonar

▸▸ Qué es la RCP

La **Reanimación Cardiopulmonar** o Cardiorrespiratoria es un **procedimiento** de **emergencia** para intentar **salvar la vida** de una persona que ha dejado de respirar y cuyo corazón no late. Esta situación de **paro cardiorrespiratorio** puede ser consecuencia de diversos acontecimientos, entre ellos, una crisis hipertensiva. Consiste en un **conjunto de maniobras** para mantener **oxigenados** los órganos vitales cuando se detiene de manera súbita la circulación sanguínea.

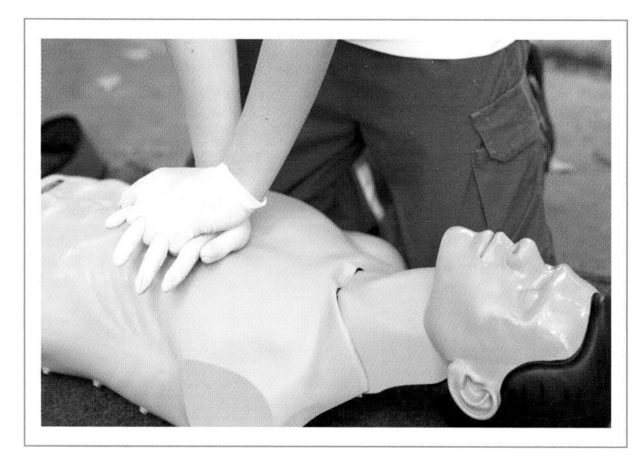

Un conocimiento muy útil

Es importante que **todas las personas** conozcan las **maniobras de RCP**, debido a que, frente a un **paro cardiorrespiratorio**, esta técnica puede **salvar vidas** y evitar el empeoramiento de posibles lesiones.

▸▸ La técnica RCP

La **RCP** es la combinación de **respiración boca a boca**, que suministra **oxígeno** a los **pulmones**, y **compresiones cardíacas** que mantienen **la circulación** de la sangre oxigenada. Estas maniobras tienen por objetivo mantener las posibilidades de sobrevida hasta que llegue la ayuda médica y, eventualmente, pueda restablecerse el latido del corazón y la respiración.

▸▸ Cómo reconocer un paro

Los signos más evidentes son:

- La **persona está inconsciente**: no se mueve ni reacciona ante ningún estímulo.
- La **persona no respira**: no se observan movimientos respiratorios ni se siente salir aire por la nariz o por la boca. Ante estas señales evidentes es necesario llamar a emergencias médicas e iniciar con urgencia la RCP.

La posición correcta

Para que las maniobras de RCP sean eficaces, en particular la compresión torácica, es necesario que la persona que ha sufrido el paro cardiorrespiratorio se encuentre **acostada sobre una superficie dura**. Por ejemplo, si está tendida sobre la cama debe ser bajada con cuidado al suelo antes de empezar con la reanimación. También es importante la **posición del reanimador**, que debe mantener los **brazos extendidos y firmes** y las **manos entrelazadas** sobre el pecho de la persona en paro. La **compresión** debe ser **enérgica** pero, a la vez, se debe evitar causar daños o agravar lesiones que pudieran existir.

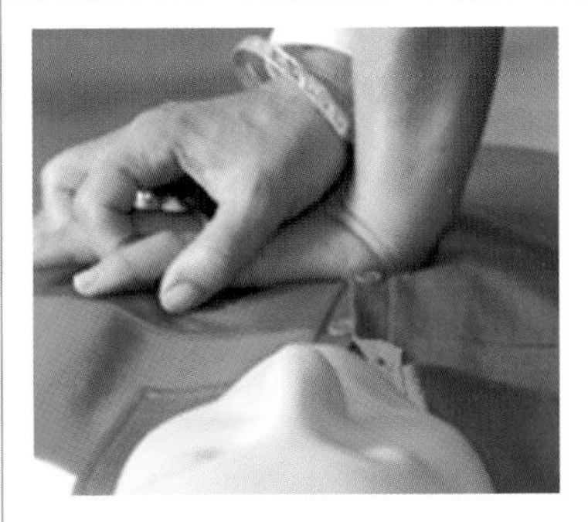

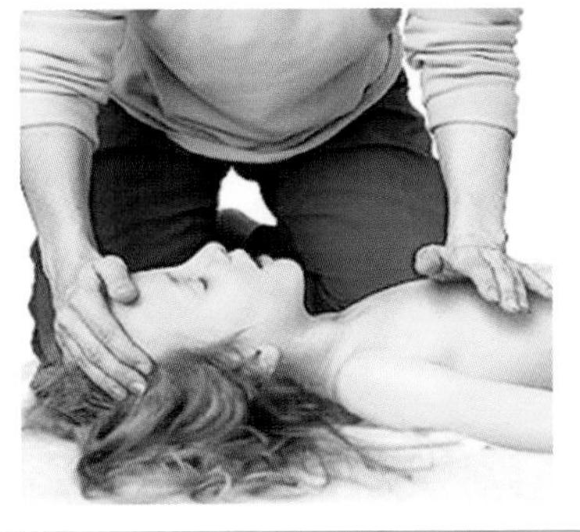

La importancia del tiempo

Los **paros cardiorrespiratorios** por emergencia hipertensiva se producen principalmente en **adultos**, y la mayor tasa de supervivencia la presentan las personas de cualquier edad que, luego del paro reciben inmediatamente **compresiones cardíacas**. El **tiempo** es muy importante cuando una persona no está respirando. La **lesión cerebral permanente** comienza después de los **4 minutos sin oxígeno** y la **muerte** puede ocurrir de **4 a 6 minutos más tarde**.

Cómo recordar el orden de las maniobras

Existe una regla mnemotécnica para recordar el orden de las acciones a realizar, con la palabra CARD (tarjeta en inglés)

- **C:** Compresiones torácicas.
- **A:** Apertura de la vía aérea.
- **R:** Respiración efectiva.
- **D:** Desfibrilación.

Las personas que mejor realizan la RCP son aquellas que han recibido entrenamiento en un curso acreditado.

LAS MANIOBRAS DE RCP PASO A PASO

La Reanimación Cardiorrespiratoria abarca una serie de maniobras por medio de los cuales se intenta que llegue oxígeno a los órganos vitales.

Compresiones torácicas:

1

Buscar el pulso en el cuello; si no se encuentra, comenzar las compresiones del tórax, al menos 100 por minuto. Colocar el talón de una mano en el centro del pecho a la altura de las tetillas, comprimir 5 cm de profundidad.

Apertura de la vía aérea:

Extender la cabeza hacia atrás colocando una mano en la frente y otra en el mentón.

2

Mientras se empuja la frente hacia atrás, utilizar la otra mano para levantar el mentón.

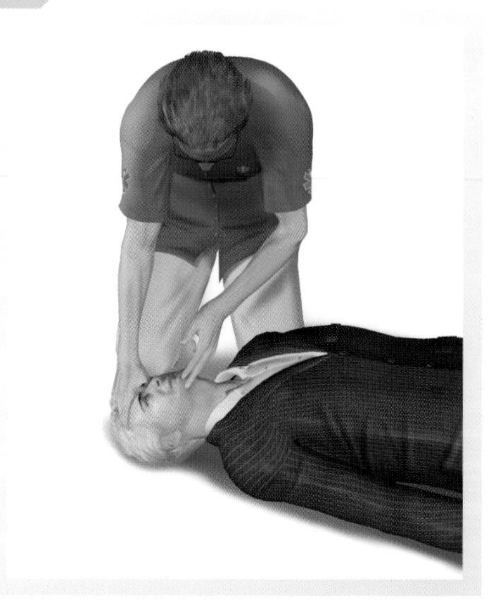

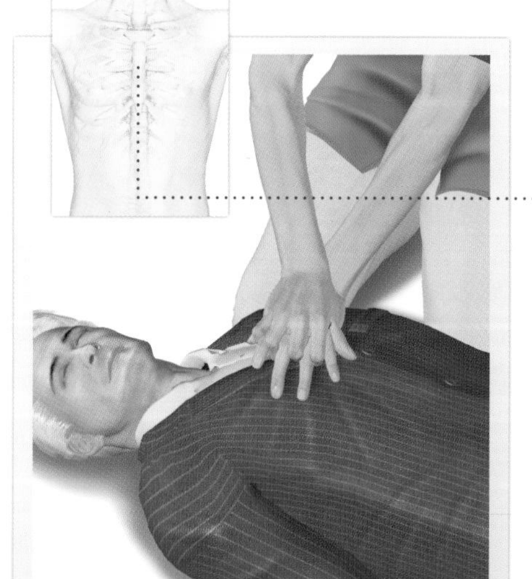

Esternón

Las compresiones pectorales se realizan entre los pezones.

Importante

Hay que realizar **30 compresiones**, a un ritmo mínimo de **100 por minuto**. Repetir la secuencia: **30 compresiones y 2 ventilaciones** (5 ciclos o 2 minutos) hasta que la víctima recupere la conciencia o llegue el servicio de emergencias.

Respiración efectiva:

Abrir la boca de la víctima, tapar las fosas nasales y cubrir la boca de la persona con su boca. Realizar 2 ventilaciones que deben durar 1 segundo, de suficiente volumen como para elevar el tórax.

3

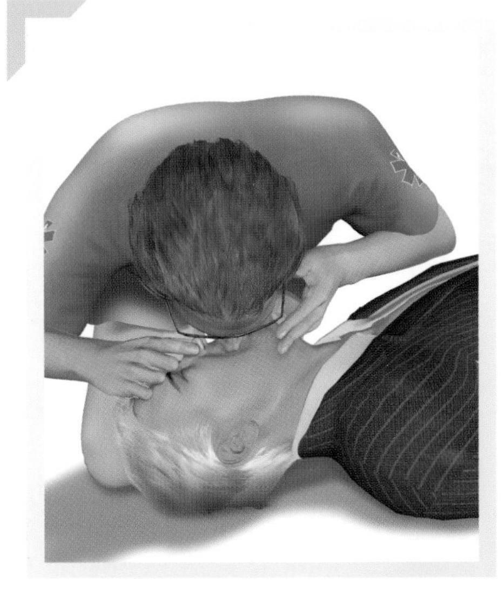

Colocar la boca sobre la boca de la víctima y exhalar.

4

Desfibrilación:

La realizará el personal médico cuando asista a la víctima.

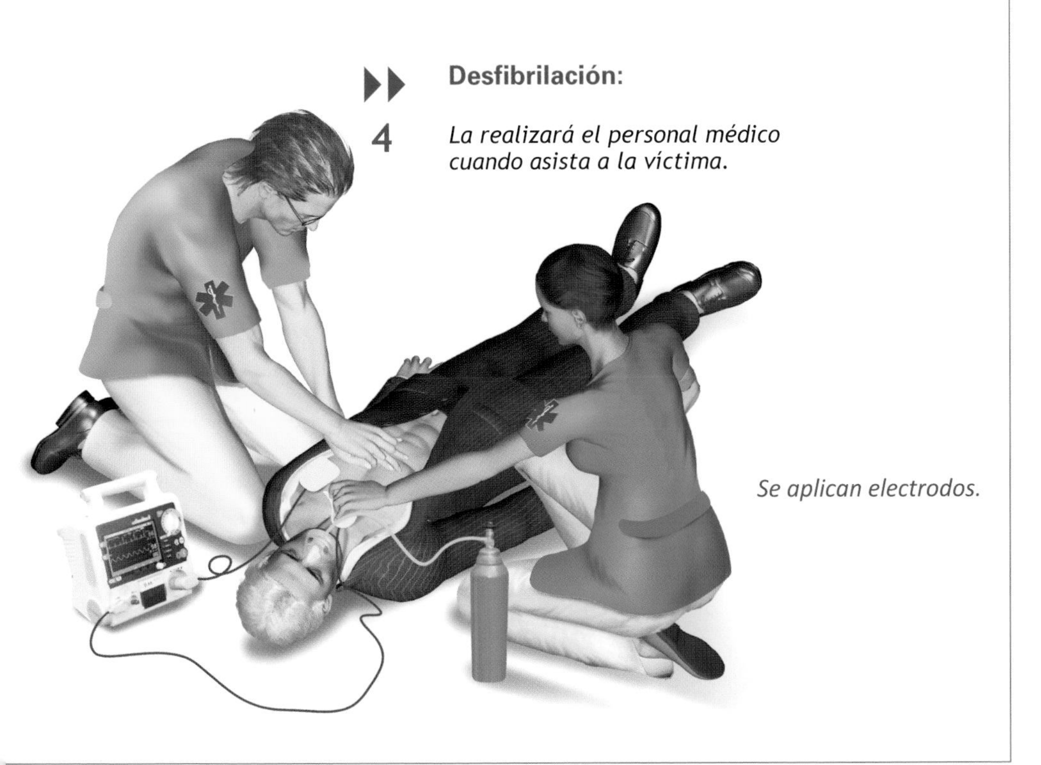

Se aplican electrodos.

Cómo actuar

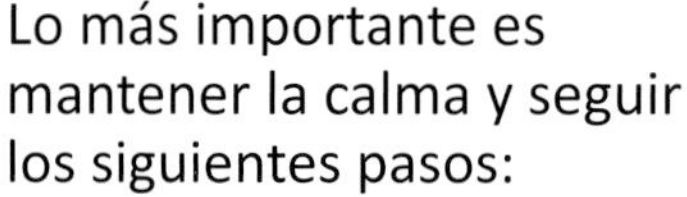

Sobrevivir a un paro

Cuando alguien inicia RCP antes de que llegue la ayuda de emergencia, la persona tiene una posibilidad mucho mayor de sobrevivir.

Lo más importante es mantener la calma y seguir los siguientes pasos:

1. **Evaluar la seguridad** de la escena donde se encuentra el paciente para evitar accidentes del auxiliador.
2. **Determinar el nivel de conciencia** de la víctima. Para eso hay que sacudir a la persona por los hombros y preguntarle en voz alta y en ambos oídos: "¿está usted bien?".
3. **Activar el sistema de emergencias médicas**: indicar a otra persona para que llame al número de emergencias local. Debe señalar: número de teléfono desde el que llama, dirección del lugar, motivos del llamado.
4. **Comenzar a realizar RCP.** En caso de no tener entrenamiento en RCP, se pueden realizar **compresiones fuertes y rápidas en el pecho** de la víctima solo con sus manos hasta que llegue la asistencia médica. Esta acción **mantiene la sangre en circulación**.

La RCP en el hogar

Cerca del 75 al 80 % de todas las muertes súbitas de causa cardíaca suceden en el hogar, por ende, el entrenamiento en Reanimación Cardiopulmonar (RCP) puede salvar la vida de un familiar. Esta técnica, aplicada por alguien entrenado y dada inmediatamente después del paro cardiaco, puede duplicar o triplicar las oportunidades de supervivencia de la víctima.

Derribando Mitos

"Me duele la cabeza, debo tener la presión muy alta."

En la mayoría de los casos, la hipertensión no produce síntomas. El dolor de cabeza es un síntoma inespecífico que puede ser debido a múltiples causas. La única manera de saber si la presión está alta es realizando una medición con tensiómetro.

¿Se puede vivir bien con hipertensión?

La hipertensión no se cura pero se puede controlar. Teniendo una vida saludable y respetando el tratamiento médico y los controles, las personas hipertensas pueden disfrutar una vida normal y plena.

Aunque la **hipertensión** es una enfermedad **crónica**, es decir, que no va a desaparecer ni curarse, con el seguimiento adecuado se podrá disfrutar de una **vida plena**. Para evitar las complicaciones que pueden presentarse producto de la hipertensión, hay que mantenerse controlado, respetar el tratamiento indicado por el médico y seguir una dieta sana.

¿Qué pasa cuando no hay controles?

Para las personas que no controlan sus niveles de presión arterial o quienes no siguen los tratamientos, las **complicaciones en la salud** pueden ser muy **graves**. La **hipertensión** puede dañar el **corazón** y producir un **infarto de miocardio**.

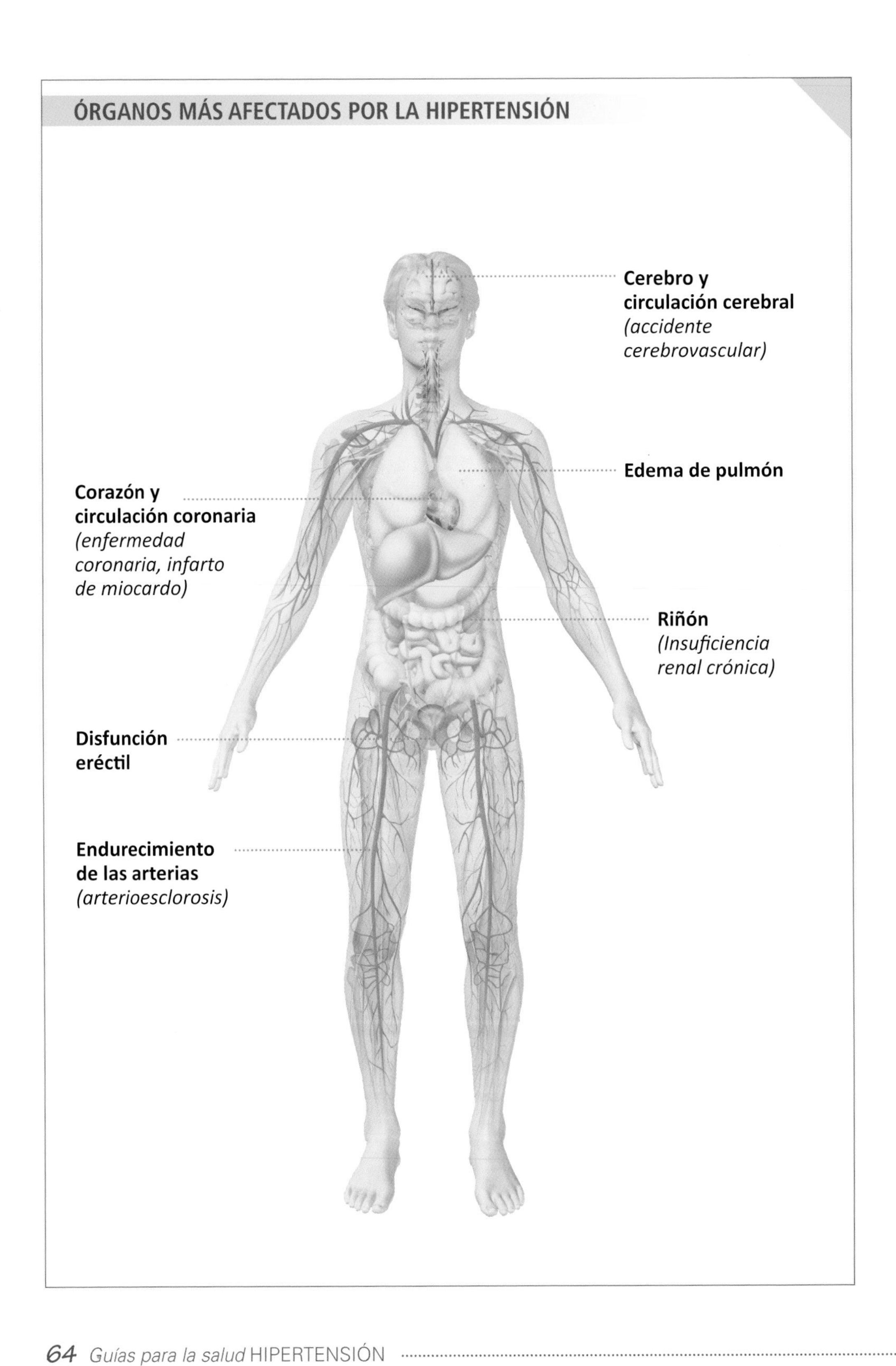

ÓRGANOS MÁS AFECTADOS POR LA HIPERTENSIÓN

Complicaciones cardiovasculares

El mayor esfuerzo del corazón

Los pacientes con **hipertensión** corren mayor riesgo de padecer **enfermedades cardiovasculares**, como la **enfermedad coronaria**. La probabilidad aumenta si se presentan otras patologías en simultáneo, por ejemplo, **diabetes**. Cuanto **más alta es la presión arterial**, **más tiene que trabajar el corazón**, en especial, el **ventrículo izquierdo**, para bombear la sangre a la arteria aorta. Producto de este mal funcionamiento, el **músculo cardíaco** comienza a **engrosarse**, lo que se denomina **hipertrofia** del músculo cardíaco, con el consecuente **agrandamiento** de los **ventrículos**.

Consecuencias de la hipertrofia

La hipertrofia del músculo cardíaco, si no se controla a tiempo la presión, va a ir empeorando progresivamente. Como consecuencia, la **cavidad ventricular izquierda** se vuelve **cada vez más pequeña**, esto hace imposible un buen llenado del ventrículo que, por lo tanto, expulsa una **menor cantidad** de **sangre** en cada latido.

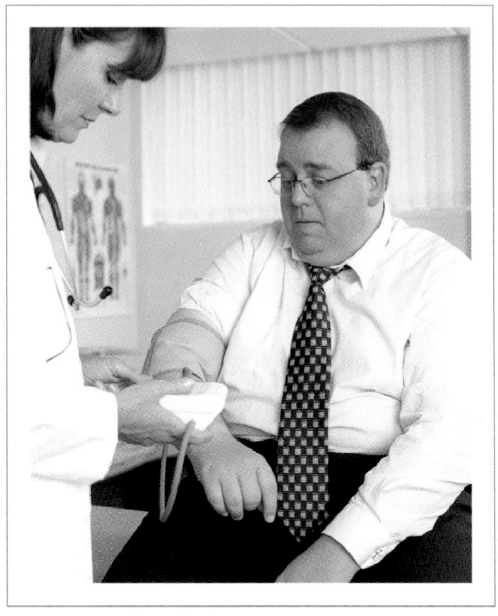

La presión arterial bien controlada reduce la posibilidad de que aparezcan complicaciones.

Insuficiencia cardíaca

Si el esfuerzo adicional que hace el corazón no es tratado y la **presión** no se lleva a **límites normales**, puede conducir a una **insuficiencia cardíaca**, es decir, a la pérdida de la capacidad del corazón de seguir bombeando la cantidad de sangre suficiente para todo el organismo.

Esto se convierte en un **círculo vicioso** en el que, al no llegar la cantidad adecuada de sangre a los órganos, se produce más **constricción** de las **arterias** y aumenta aun más el trabajo del corazón.

Dolor de pecho

El dolor de pecho de origen cardíaco es un dolor muy característico: se ubica en la zona anterior del pecho, es opresivo (algunas personas lo relatan como si una pata de elefante se les apoyara en el pecho), aumenta con el ejercicio y se calma con el reposo.

Endurecimiento de las arterias

Las **arterias** más **pequeñas** que recorren el corazón, a menudo están **contraídas** por la presión alta, de forma que puede fallar el aporte de oxígeno y nutrientes; sumado a esto la hipertensión también puede generar un **endurecimiento** de las arterias, llamado **arterioesclerosis**. Este es un factor de riesgo mayor de la enfermedad cardíaca coronaria, que se manifiesta como dolor de pecho (o angina de pecho). Este síntoma puede estar indicando que la persona está teniendo un **infarto de miocardio**.

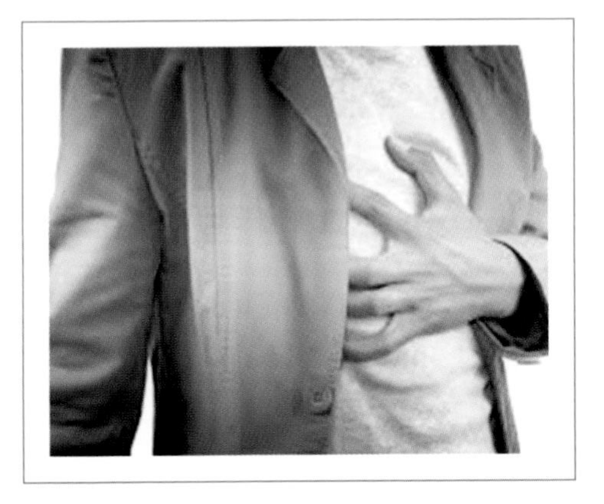

En el infarto de miocardio se produce la muerte de las células del corazón por insuficiente aporte de oxígeno.

Riesgo cardiovascular en pacientes hipertensos

RIESGO LEVE	RIESGO MODERADO	RIESGO GRAVE
Sin presencia de factores de riesgo.	Al menos un factor de riesgo presente (que no sea diabetes).	Conjunción de varios factores de riesgo.
Sin daño en órgano blanco.	Sin daño en órgano blanco.	Con diabetes mellitus y/o daño en órgano blanco.

Enfermedad renal

Hipertensión e insuficiencia renal

La **hipertensión** arterial es la causa principal de la **insuficiencia renal crónica**. Con el tiempo, esta enfermedad puede dañar los vasos sanguíneos que recorren todo el cuerpo. Esto puede reducir el **suministro de sangre** a órganos importantes como los riñones.

Cómo afecta los riñones

La hipertensión daña las diminutas unidades filtrantes de los riñones. En consecuencia, estos órganos son menos capaces de realizar alguna de sus funciones vitales, entre ellas:

- **Eliminar los desechos y líquidos** extra del cuerpo.
- **Liberar hormonas** que ayudan a controlar la presión sanguínea, además de contribuir a mantener los huesos fuertes y prevenir la anemia, al aumentar el número de glóbulos rojos en el cuerpo.
- **Mantener el equilibrio de sustancias** químicas importantes en la sangre, por ejemplo, sodio, fósforo calcio y potasio.

¿Causa o consecuencia?

La hipertensión puede ser también una complicación de la insuficiencia renal crónica, es decir, que la enfermedad renal es la causa de la elevación de la presión. Los riñones juegan un papel fundamental para mantener la presión arterial en un nivel saludable, pero cuando están dañados, son menos capaces de ayudar a regular la presión arterial.

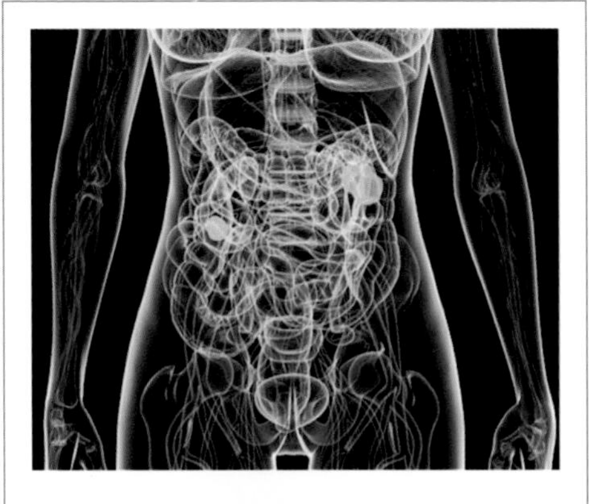

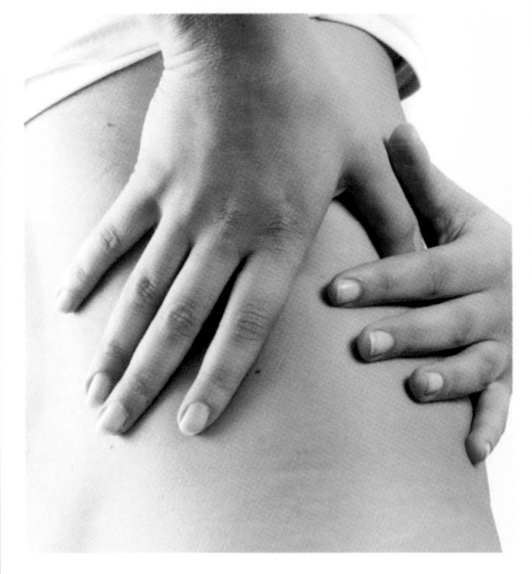

Algunas señales

Si bien en los **estadios iniciales** la insuficiencia renal suele ser **asintomática**, algunos de los **síntomas** que se pueden presentar son:

- Falta de apetito
- Sensación de malestar general y fatiga
- Dolor de cabeza
- Picazón o comezón generalizada (prurito) y resequedad de la piel
- Náuseas
- Pérdida de peso.

Una forma de prevenir

El control de la presión arterial retrasa el daño en el riñón, por eso, el objetivo siempre debe ser mantener la presión arterial en (o por debajo de) 130/80 mmHg. Además, es importante que el hipertenso se realice análisis para saber si tiene afectado este órgano. Luego del diagnóstico de hipertensión, se deben realizar siempre estudios para saber cómo están funcionando los riñones.

Más de la mitad de las personas con insuficiencia renal crónica tiene hipertensión.

Daños en el cerebro

Una complicación peligrosa

La **hipertensión** no tratada puede causar daños en el cerebro, de hecho, esta enfermedad es el factor de riesgo más importante del **ictus** o **accidente cerebrovascular**. Comparado con las personas con presión arterial normal, el riesgo de padecer un ictus en pacientes con hipertensión aumenta de 3 a 4 veces.

Qué lo causa

En aproximadamente un tercio de los casos, la **oclusión** de un **vaso cerebral** se produce por un **coágulo de sangre** que se ha desprendido de una calcificación de la pared vascular, en el interior

de la **carótida** o la **aorta**. Estas oclusiones, en personas que tienen la **presión arterial alta**, pueden producirse también en los vasos más grandes del cerebro y causar un **accidente cerebrovascular**.

Deterioro cognitivo

En el cerebro, la alteración del torrente circulatorio también puede afectar a los vasos pequeños hasta sus ramificaciones finas. Esto produce un aporte insuficiente de oxígeno y nutrientes. En consecuencia, se altera el funcionamiento del cerebro, es decir, se observa un deterioro mental prematuro.

Hipertensión y daño vascular

Aunque la complicación más grave es el accidente cerebrovascular, la hipertensión puede causar otros daños, entre ellos **deterioro cognitivo** y **demencia**, incluida la **enfermedad de Alzheimer**. Este daño vascular en el cerebro debido a la hipertensión arteria, puede aparecer de manera independiente del accidente cerebrovascular, como **trastorno funcional**.

Por qué se produce el daño vascular

Si bien el cerebro tiene un mecanismo de autorregulación, el **aumento** sostenido de la **presión arterial** hace que se mantenga una **vasoconstricción** de las **arteriolas** y las **arterias cerebrales pequeñas** que, con el tiempo, produce un **cambio** en la **estructura** de los vasos que favorece la aparición de **lesiones cerebrales**. Entre estas modificaciones las más importantes son:

- **Engrosamiento** (hipertrofia) de la pared de los vasos.
- **Disminución** del diámetro interno y externo de los vasos.

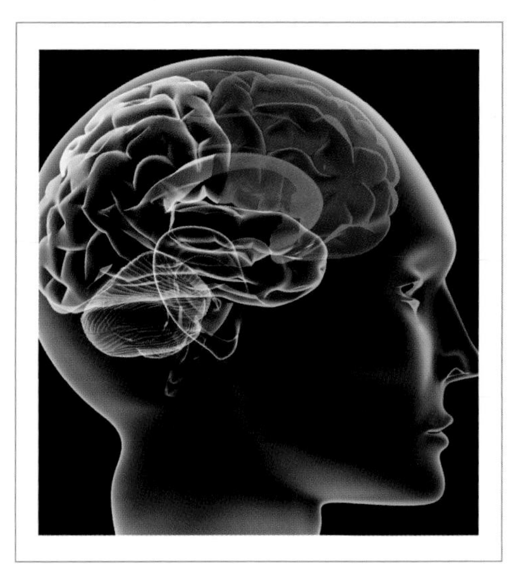

El accidente cerebrovascular puede dejar como secuela discapacidad física o intelectual.

Daños cerebrovasculares asociados con hipertensión:

- Encefalopatía hipertensiva
- Lesión de los grandes vasos
- Lesión de pequeños vasos (lacunar)

Estas lesiones, inicialmente, pueden ser asintomáticas.

Otras complicaciones

Disfunción eréctil

Otra complicación que se puede presentar, y que afecta tanto psicológica como físicamente, es la **disfunción eréctil**. La **incapacidad** persistente de lograr o mantener una erección suficiente para el desarrollo de una relación sexual satisfactoria, presenta una estrecha asociación con la **hipertensión arterial**. La hipertensión puede producir una **disminución** de la **elasticidad** de las **paredes vasculares arteriales** y provocar dificultades en el relleno de sangre de los **cuerpos cavernosos**, que son tejidos de la parte superior del pene, fundamentales para lograr una erección.

Un problema que tiene solución

Se estima que el 14% de los hipertensos presenta este problema en algún momento de su vida, ya sea por su propia hipertensión o por los tratamientos utilizados. Es importante que el varón hipertenso consulte al médico si presenta esta dificultad, ya que es un problema que puede ser solucionado. Si es producto del medicamento, por ejemplo, un cambio en el fármaco podría resolverlo.

¿Qué hacer en caso de disfunción eréctil?

- Ante el primer síntoma, hablar con el médico sobre el tema, dado que la mayoría de los casos tienen tratamiento.
- Si la disfunción está causada por la **medicación** para la hipertensión, el profesional puede **disminuir la dosis** o cambiar el remedio.
- El único que puede decidir estos cambios en el tratamiento farmacológico es el médico, no el paciente.
- En muchos casos es suficiente con **cambiar algunos hábitos** como disminuir la ingesta de alcohol.

¿Se puede viajar con hipertensión?

El tratamiento no tiene vacaciones

Durante las vacaciones, producto de la **relajación** y el **cambio de rutina**, aumenta el **incumplimiento del tratamiento**. Según la Sociedad Española de Hipertensión, ocho de cada diez pacientes hipertensos interrumpen total o parcialmente sus tratamientos durante las vacaciones de verano.
La **suspensión de la medicación**, la **mala alimentación** y el **sedentarismo** que puede darse durante un viaje puede generar algunas de las **complicaciones** de la hipertensión. Es por eso que hay que continuar con el tratamiento y, en lo posible, controlar periódicamente los valores de la presión arterial.

Algunos consejos útiles

Cuando se emprende un viaje es importante tener en cuenta lo siguiente:

- Recordar llevar el **tensiómetro** en la **valija** o **bolso de mano**.
- Si el viaje es largo, es recomendable llevar **suficiente cantidad de medicamentos** como para toda la estadía.
- En el caso de viajar a otro país, hay que asegurarse conocer el nombre de la droga (muchas veces los pacientes solo recuerdan el nombre comercial del fármaco) para poder adquirirla en caso de pérdida.

Estas medidas sencillas harán que la persona hipertensa pueda disfrutar de su tiempo libre sin descuidar el tratamiento, evitando sobresaltos y complicaciones imprevistas.

Recomendaciones especiales

Ciudades en altura

Cuando una persona con hipertensión decide o tiene que realizar un viaje a un destino que se encuentra a **gran altitud sobre el nivel del mar** –como, por ejemplo, las ciudades de Potosí, San Salvador de Jujuy, Cusco o Quito- tiene que tomar algunos recaudos.
El ascenso a determinadas altitudes puede **elevar la presión arterial.** Incluso se observan más casos de hipertensión entre las personas que viven en alturas mayores.

Qué es el "mal de altura"

El denominado "mal de altura" se produce debido a una **falta de oxígeno** (**hipoxia**), como consecuencia de la disminución de la concentración de este gas

de la atmosfera a determinadas altitudes, generalmente a partir de los 3 000 metros.
Así, la persona incrementa su respiración y se produce una **hiperventilación**. Esto hace que la **frecuencia cardíaca** sea más rápida y aumente el **flujo sanguíneo**, es decir, que **se eleva la presión arterial**.

Síntomas del "mal de altura"

Los principales síntomas del "mal de altura" son: dolor de cabeza, fatiga, náuseas e inestabilidad. En casos graves, la persona presenta una coloración azul de la piel o cianosis (las células sanguíneas desoxigenadas pierden su color rojo y se tornan color azul).

¿Cómo se puede prevenir?

Para prevenirlo se recomienda **controlar la presión arterial antes del viaje** y, en caso de estadías prolongadas, **verificar los valores** regularmente para confirmar que no haya elevaciones excesivas que requieran un **tratamiento más intenso**. En algunos casos, se recetan **diuréticos** si la altura es mayor de 3 000-4 000 metros, para contribuir a la prevención de complicaciones. También se sugiere una **aclimatación progresiva** y una muy buena **hidratación**.

¿Puede un hipertenso viajar en avión?

Una inquietud frecuente entre los hipertensos es saber si el vuelo en **avión** pueden alterar su **presión arterial**. Esta patología, si es tratada correctamente, no presenta problemas durante el viaje en avión. En cambio, las **enfermedades cardiovasculares graves** asociadas con la hipertensión (angina de pecho, infarto reciente, etc.) son las que imposibilitan este tipo de traslado.

La hipertensión es una enfermedad crónica que acompaña toda la vida, es por eso que no permite descuidos o licencias.

Cuidado con las comidas

En vacaciones o durante los viajes, es decir, cuando la rutina se ve afectada, es el momento en que muchas personas **abandonan los tratamientos** o **dejan de cuidarse en las comidas**. Esto ocurre, sobre todo, cuando se conocen otras costumbres y culturas, lo que incluye la oferta gastronómica. Es muy importante en esos casos, informarse correctamente sobre la composición nutricional de los alimentos y evitar así consumir sodio u otros ingredientes, que pueden hacer subir la presión arterial.

Derribando Mitos

"Lo importante es tener la presión mínima controlada."

Durante un tiempo se pensó que esta afirmación era cierta pero en la actualidad se ha comprobado que es necesario el control adecuado tanto de la presión mínima (diastólica), como de la máxima (sistólica), ya que la elevación de cualquiera de ellas conlleva un mayor riesgo cardiovascular.

Hipertensión a lo largo de la vida

La hipertensión arterial se presenta de diferentes formas en las personas mayores, los jóvenes y los niños. Sin embargo, si no se trata, se puede manifestar daño orgánico y riesgo cardiovascular en todas las edades.

Si bien es cierto que la presión arterial suele subir con la edad, en todo momento de la vida la forma de prevenir y mantener controlada la hipertensión está relacionada con una **buena alimentación**, la **reducción del consumo de sal** y la **actividad física**. En la mayoría de los casos, la **modificación en el estilo** de vida es más **eficaz** que el tratamiento farmacológico.

▸▸ Los controles

Es importante **controlar los valores de presión arterial**, incluso desde la **primera infancia**. Esta rutina debe incorporarse a lo largo de toda la vida. Gran cantidad de **adultos** y ancianos padecen **hipertensión** por muchos años **sin saberlo**, y obtienen el diagnóstico recién cuando enfrentan una afección grave.

La hipertensión en la niñez

Proporción preocupante

Por cada 100 niños de la población mundial, entre 1 y 3 son hipertensos.

¿Niños hipertensos?

Hasta hace algunos años, la hipertensión arterial era considerada como una **enfermedad exclusiva de los adultos**. Las pocas veces en las que se diagnosticaba esta enfermedad en **niños** o **preadolescentes** eran, por lo general, casos de **"hipertensión secundaria"**, como consecuencia de padecer alguna otra enfermedad, por ejemplo, renal. Sin embargo, en la actualidad, ha aumentado la cantidad de diagnósticos de **"hipertensión primaria o esencial"** durante la **infancia**.

La hipertensión infantil se diagnostica relacionando los valores de las tablas normativas con la edad y la estructura corporal del niño.

Medidas de prevención

Para prevenir la hipertensión en los niños, es importante incentivarlos a dedicar de **30 a 60 minutos al día** para practicar **deportes** o hacer **actividades físicas**. Además, deben tener una **dieta** con menor contenido de grasas, aumentar el consumo de frutas y verduras y **reducir la ingesta de sal**.

A diferencia de los adultos, para los niños no hay valores estándar de tensión arterial.

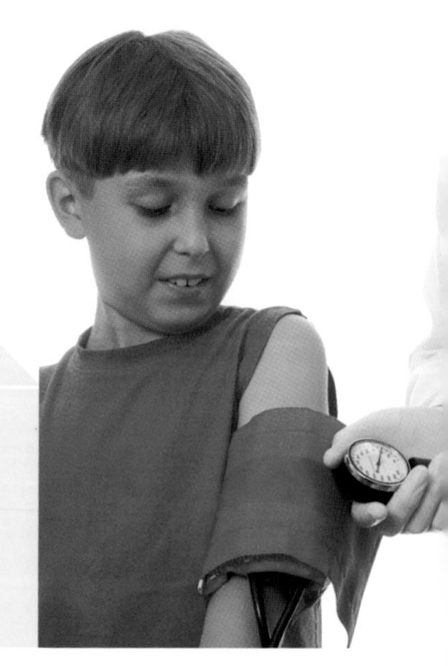

HÁBITOS E HIPERTENSIÓN

Los actuales hábitos de vida de los niños, como la permanencia de largas horas frente a la computadora, la televisión o los videojuegos, han hecho que aumenten el sobrepeso, la obesidad y el sedentarismo. Estos son los principales factores de riesgo de la hipertensión en la infancia, por ello se recomienda que estas actividades no excedan las dos horas diarias.

Los riesgos para la salud

Riesgos de la hipertensión infantil

La hipertensión arterial en la niñez provoca **daño cardíaco** (aumento del tamaño del ventrículo izquierdo), acelera el proceso **obstrucción de las arterias** y es un **factor de riesgo** de **enfermedad** coronaria en la edad adulta. Por eso, el **control de la presión** se debe realizar en toda consulta pediátrica a partir de los **3 años** de edad.

Precursores de la hipertensión adulta

Tomar la presión arterial desde los primeros días de vida permite **obtener el perfil de la presión del niño**, junto con el de su **peso** y **talla**, para así evaluar las variaciones que se esperan para su normal crecimiento y desarrollo. El **riesgo de ser hipertenso** en la **edad adulta** aumenta un **70%** cuando se ha tenido **hipertensión en la infancia o adolescencia**. Es posible que muchos adultos hipertensos hayan iniciado su enfermedad en etapas tempranas de su vida.

Hipertensión en la adolescencia

Al igual que en la niñez, han aumentado los casos de **adolescentes con hipertensión**. Pero en esta etapa de la vida, por lo general, no se realizan controles médicos ni mediciones de valores de presión, lo que dificulta la detección temprana.

Factores de riesgo en niños:

- Bajo peso al nacer
- Padres con hipertensión arterial (el riesgo es superior al 50% si ambos padres son hipertensos)
- Diabetes
- Insuficiencia renal crónica
- Alteraciones de los lípidos (aumento del colesterol)
- Sobrepeso
- Sedentarismo
- Estrés sostenido

Hipertensión y embarazo

El control del bebé

Para seguir el estado de salud del bebé, el obstetra solicitará ecografías y controles del ritmo cardíaco fetal.

Antes del embarazo

Es fundamental la **consulta previa a la concepción** en las **mujeres** con **historia de hipertensión** anterior al embarazo, ya que existen **medicaciones antihipertensivas** que deben evitarse si se está buscando tener un hijo. La **presión arterial** debe estar **controlada**, si no, es preferible postergar el embarazo hasta lograr la regularización de los valores.

Un problema controlable

Las **mujeres embarazadas** que padecen hipertensión arterial, ya sea que conozcan el diagnóstico previamente o que fuera detectada durante el embarazo, requieren una estrecha vigilancia. Un buen control médico asegura, en la mayoría de los casos, un parto sin problemas. Sin embargo, sin controles se pone en riesgo la salud de la madre y el bebé. Las mujeres hipertensas embarazadas se suelen atender en los "consultorios de alto riesgo".

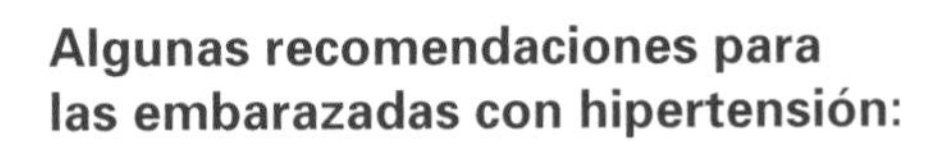

Algunas recomendaciones para las embarazadas con hipertensión:

- El tratamiento farmacológico será evaluado en conjunto por el médico obstetra y el médico clínico/cardiólogo.
- Se debe realizar un reposo relativo.
- No es recomendable eliminar por completo la ingesta de sal, excepto en aquellas mujeres que desde antes del embarazo dejaron de consumirla.
- El alcohol y el tabaco deben eliminarse, así como el ejercicio aeróbico.

Tienen un régimen de consultas más frecuentes y deben controlarse la presión arterial en sus casas o con la asistencia de una enfermera.

Hipertensión gestacional

La **hipertensión producida por el embarazo** se presenta **a partir de la semana 20** de gestación. Esto ocurre en mujeres que no eran hipertensa antes de embarazarse.
El **diagnóstico** se realiza luego de ser **confirmado** por dos **mediciones separadas**, que arrojen valores mayores a 140/90 mmHg y que se repitan en 7 días.

Las mujeres con **hipertensión gestacional leve** (menor a 160/110 mmHg) desarrollada luego de las **37 semanas** de embarazo, **no presentan grandes riesgos** para su salud. Sin embargo, aquellas que se presentan hipertensas con **menos de 34 semanas** de embarazo, tienen un riesgo mayor de complicaciones perinatales. El 40 % de este último grupo, desarrollará **preeclampsia**.

CONSIDERACIONES DIAGNÓSTICAS

Cuando la hipertensión se descubre en la primera mitad del embarazo, es decir, antes de la semana 20 de la gestación, se considera como previa al mismo. Como la presión arterial suele disminuir durante esta etapa, muchas mujeres hipertensas tienen una normalización espontánea. En esos casos, el médico puede optar por suspender transitoriamente la medicación que venían recibiendo.

Qué es la preeclampsia

Se define por la presencia de **hipertensión arterial** y la aparición de **proteínas** en el **análisis de orina**, que indica un **deterioro de la función del riñón.** Esta complicación representa un riesgo para la madre y el bebé. Puede producir retraso de crecimiento por alteraciones en la placenta y sufrimiento fetal.

Muertes maternas

La preeclampsia es responsable de 200 000 muertes maternas por año en el mundo.

Quiénes pueden desarrollar preeclampsia

Las mujeres que tienen mayor riesgo de desarrollar esta afección son las que presentan:

- Antecedentes familiares de preeclampsia
- Antecedentes personales de hipertensión crónica, enfermedad renal o diabetes
- Embarazo múltiple
- Menos de 20 años de edad o más de 35
- Sobrepeso u obesidad
- Antecedentes personales de preeclampsia antes de las 32 semanas de gestación

Si bien no hay manera de prevenirla, el riesgo disminuye en las embarazadas con un buen control de la presión arterial.

▸▸ Signos de alerta

Las embarazadas que tienen uno o más de los siguientes **signos** deben consultar con **urgencia al médico** o a la guardia, ya que pueden presentar preeclampsia:

- Aumento de peso de más de un kilo por semana
- Valores de presión arterial mayores de 140/90 mm Hg
- Dolor de cabeza
- Náuseas y vómitos
- Dolor en el centro del abdomen o en el lado derecho
- Visión de luces de colores
- Hemorragia vaginal
- Convulsiones (cuando se presentan se denomina eclampsis)

Cuando una mujer embarazada padece preeclampsia, es probable que el médico le **induzca el parto** una vez que el feto esté maduro. Si todavía no es el momento para el parto, se indicará **reposo en cama**, control de la presión arterial con **fármacos específicos** y seguir una dieta con mayor cantidad de proteínas.

Controles prenatales

Durante el embarazo, ya sea por padecer esta enfermedad de forma previa o si se manifiesta como consecuencia de ese estado, el niño por nacer y la madre pueden verse afectados, producto de la elevación de la presión arterial. De ahí la importancia de los controles prenatales a lo largo de toda la gestación debido a que pueden evitar graves inconvenientes.

Hipertensión en adultos mayores

Una hipertensión esperable

Una circunstancia frecuente en esta etapa de la vida es el **aumento de presión sistólica** por encima de 140 mmHg, con valores diastólicos inferiores a 90 mmHg. Esta condición, llamada **"hipertensión sistólica aislada"**, constituye más del 75% de las formas en las que se manifiesta la **hipertensión en los adultos mayores**. Este trastorno se debe a la **pérdida** de la **elasticidad** de los **vasos sanguíneos**.

Los más afectados

La hipertensión arterial afecta aproximadamente al 60% de las mayores de 65 años de edad.

Prevención y tratamiento

Para prevenir la hipertensión en esta etapa es importante **normalizar el peso** mediante la **dieta** y la **actividad física**. La reducción de un kilo de peso implica una disminución promedio entre 1.3 a 1.6 mmHg de presión arterial. El tratamiento en el adulto mayor no difiere del resto de los grupos etarios. La **reducción de la sal** en la dieta, la **disminución del peso corporal** en caso de que sea necesario, y la práctica de una **actividad física** moderada en forma regular ayudan a controlar y regular la presión arterial.

POR QUÉ SUBE LA PRESIÓN CON LA EDAD

Debido a la edad, las arterias pierden elasticidad, se hacen más rígidas y tienen menos capacidad para adaptarse a la presión alta. Esto provoca que sean más frecuentes algunas complicaciones vasculares que en los hipertensos jóvenes: angina de pecho, infarto de miocardio, insuficiencia cardiaca, hemorragia o trombosis cerebrales e insuficiencia renal.

Igualdad

A partir de los 50 años la hipertensión es tanto o más frecuente en las mujeres que en los varones.

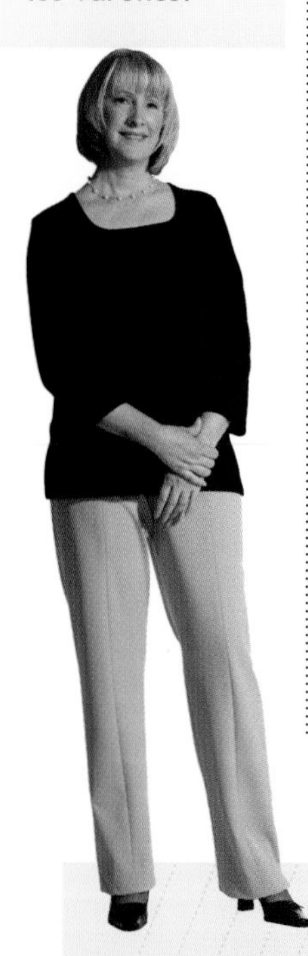

▶▶ La pseudohipertensión

Se denomina así al **falso aumento de la presión arterial** que se observa en algunas personas mayores, debido a la existencia de **arterias endurecidas** que no se comprimen durante el inflado del manguito del tensiómetro. Debe realizarse una correcta identificación para evitar el tratamiento agresivo, producto de un mal registro en los valores de la presión arterial.

▶▶ Hipertensión en la menopausia

En esta etapa aumenta el riesgo de hipertensión debido a la **deficiencia en los estrógenos**, hormona producida por los ovarios. Esto se asocia con alteraciones de la capa que reviste las arterias por dentro, llamada **endotelio**, cuya función es producir sustancias que regulan la **dilatación** y **contracción** de los **vasos**. La carencia de estrógenos se asocia también con el **aumento de peso** y con la **distribución** de la **grasa** en el **abdomen**.

Derribando Mitos

"La presión alta en los adultos mayores es normal."

Si bien la presión arterial puede aumentar con la edad, ello no quiere decir que sea normal. Un adulto mayor que sigue una dieta equilibrada sin sal agregada y realiza actividad física, tiene menos probabilidades de padecer hipertensión.
La elevación de la presión supone un mayor riesgo de enfermedades cardiovasculares que pueden derivar en la muerte. En la vejez, al igual que en los adultos, la presión arterial no debe superar los 140/90 mmHg.

¿Cómo puede ayudar la familia?

La familia puede ser de gran ayuda para una persona hipertensa. El apoyo y la contención son fundamentales para llevar una buena calidad de vida cuando se padece una enfermedad crónica.

El **manejo** de la **hipertensión** incluye medidas de tratamiento farmacológico, actividad física y modificaciones en la alimentación, por lo que su control adecuado depende de la **voluntad de la persona** de llevarlo adelante. Como se requiere de la adopción de **nuevos hábitos**, el **entorno familiar** actúa de **apoyo** o **desmotivación** para emprender estas modificaciones.

▸▸ Un apoyo necesario

La **eliminación** en la dieta habitual de algunos **alimentos** y **condimentos**, la práctica de **ejercicio** y la toma de **medicamentos** son **objetivos** muy difíciles de alcanzar **sin la participación de familiares y amigos**. El **descontrol en el tratamiento** se produce, entre otros factores, por la **falta de apoyo familiar**.

La asistencia familiar

Influencia negativa

La falta de apoyo de la familia podría ser una de las causas de la falla terapéutica, debido a que ejerce gran influencia sobre la continuidad del tratamiento.

Aprender a medir la presión

Es muy importante que algún o algunos miembros de la familia hagan las mediciones diarias de la presión arterial. Para una **exacta medición**, este control no puede realizarlo el hipertenso por sus propios medios. Por eso, es recomendable que todos en la familia **conozcan** cómo realizar esta simple medición, **incluso los niños pueden aprenderlo**.

Es importante que toda la familia tenga información correcta sobre la hipertensión y su tratamiento.

La dieta familiar

Respecto de los cambios en la alimentación, la pauta más importante es la **eliminación del consumo de sal**. En este sentido, el miembro de la familia que se encargue de cocinar debe tener presente no agregar este condimento durante la preparación de la comida. Así como la persona que realice las compras debe **evitar los alimentos elaborados** que ya estén salados, como por ejemplo, los **embutidos**, los **panificados** o los productos de copetín (botanas). Siempre va a ser más sencillo si toda la familia incorpora estas **pautas**, ya que no será el hipertenso solo el que tenga que hacer el esfuerzo de alimentarse de forma diferente. Esto puede generar **sentimientos de segregación** que obstaculizarán el **tratamiento**.

Beneficios para todos

Hay que tener presente que las modificaciones en el estilo de vida que debe realizar una hipertenso son beneficiosas para cualquier persona. Es decir, que si la familia las incorpora mejorará también la salud de todos sus integrantes.

A ponerse en movimiento

En relación a la actividad física, puede ayudar que la familia opte por **salidas** que impliquen **mover el cuerpo**. En vez de elegir ir al cine o al teatro, se pueden planificar **jornadas al aire libre** que incluyan deportes, caminatas o juegos. Los amigos también pueden contribuir, organizando partidos de fútbol, tenis, paleta (siempre que el hipertenso tenga la autorización médica) o salidas a bailar, en lugar de realizar encuentros en restaurantes o bares.

Evitar el estrés

Realizar **yoga** u otras técnicas que favorezcan la **relajación** y la reducción del estrés puede ayudar a **disminuir la presión arterial**. Con este tipo de prácticas. una persona se puede relajar ante distintas situaciones de la **vida personal o laboral**.

El primer auxilio

No hay que olvidar que la familia será quien primero asista a un hipertenso que esté atravesando una complicación. Conocer los **teléfonos** de **emergencias médicas** o la dirección del **centro asistencial** más cercano agilizará los tiempos frente a un infortunio. Asimismo, saber realizar las **maniobras de reanimación cardiopulmonar** puede salvarle la vida.

EL SECRETO PARA VIVIR BIEN

Encontrar satisfacción en los hábitos saludables es la base de la continuidad del tratamiento y, si se hace acompañado de la familia y los amigos, será mucho más sencillo. El secreto para convivir con hipertensión, como con cualquier enfermedad crónica, es modificar algunas costumbres sin que ello se perciba como una pérdida, o una obligación.

Compartir hábitos

El hecho de que la familia comparta los hábitos de alimentación, hace que el hipertenso no se sienta distinto.

Qué mas se puede hacer

Cómo seguir ayudando

Los miembros de la familia también son de gran ayuda para asistir al hipertenso en su **tratamiento** y control diario. Además de tomarle la presión y completar las planillas de registro de los valores de presión arterial, pueden recordarle realizar las **consultas médicas** y **acompañarlo** en estas visitas. También es importante ayudarlos a no olvidarse de **tomar la medicación**, en los casos en que fuera indicada. Por eso, si es posible, para la ingesta de los remedios hay que elegir horarios en que la familia esté reunida, como la cena.

Grupos terapéuticos

Otra posibilidad es acompañar a la persona hipertensa a **grupos terapéuticos**. Existen espacios en hospitales, iglesias o instituciones privadas que brindan **contención** para diferentes enfermedades. También existen **grupos para familiares y amigos**. Estos brindan la posibilidad de **compartir experiencias** y dificultades o soluciones que se encuentran durante el **tratamiento** de la hipertensión.

Derribando Mitos

"Como siempre cumplo con la medicación, en mi familia comemos con sal."

La dieta equilibrada y sin sal agregada es aconsejable en todas las personas, incluso las que tienen presión normal. Cumplir con la medicación es solo una parte del tratamiento, no hay que olvidar seguir con una dieta balanceada y realizar actividad física.

Anexos

1. Tabla de predicción del riesgo de la OMS/SIH
2. Modelo de planilla de control diario de presión arterial

Tabla de predicción del riesgo de la OMS/SIH*

Para utilizar esta tabla hay que seguir los siguientes pasos:

1. Elegir la adecuada según la presencia o ausencia de diabetes.
2. Elegir el cuadro del sexo en cuestión.
3. Elegir el recuadro fumador o no fumador.
4. Elegir el recuadro del grupo de edad (elegir 50 si la edad está comprendida entre 50 y 59 años, 60 para edades entre 60 y 69 años, etc.).
5. En el recuadro finalmente elegido, localizar la celda más cercana al cruce de los niveles de presión arterial sistólica (mmHg).

CÓMO INTERPRETAR LOS RESULTADOS

Según el riesgo obtenido, se pueden seguir recomendaciones para la prevención de las enfermedades cardiovasculares:

Riesgo < 10%: Los individuos de esta categoría tienen un riesgo bajo que, sin embargo, no significa "ausencia de riesgo". Se sugiere un tratamiento discreto centrado en cambios del modo de vida.

Riesgo 10%-< 20%: Los individuos de esta categoría tienen un riesgo moderado de sufrir episodios cardiovasculares, mortales o no. Se sugiere monitorizar el perfil de riesgo cada 6-12 meses.

Riesgo 20%-< 30%: Los individuos de esta categoría tienen un riesgo alto de sufrir episodios cardiovasculares, mortales o no. Se sugiere monitorizar el perfil de riesgo cada 3-6 meses.

Riesgo ≥ 30%: Los individuos de esta categoría tienen un riesgo muy alto de sufrir episodios cardiovasculares, mortales o no. Se sugiere monitorizar el perfil de riesgo cada 3-6 meses.

**Esta tabla es un ejemplo diseñado por la OMS/SIH (Organización Mundial de la Salud / Sociedad Internacional de Hipertensión) para los siguientes países: Argentina, Belice, Brasil, Chile, Colombia, Costa Rica, Dominica, El Salvador, Granada, Guyana, Honduras, México, Panamá, República Dominicana, Paraguay, Suriname, Trinidad y Tobago, Uruguay y Venezuela. Otros países tienen tablas diferentes.*

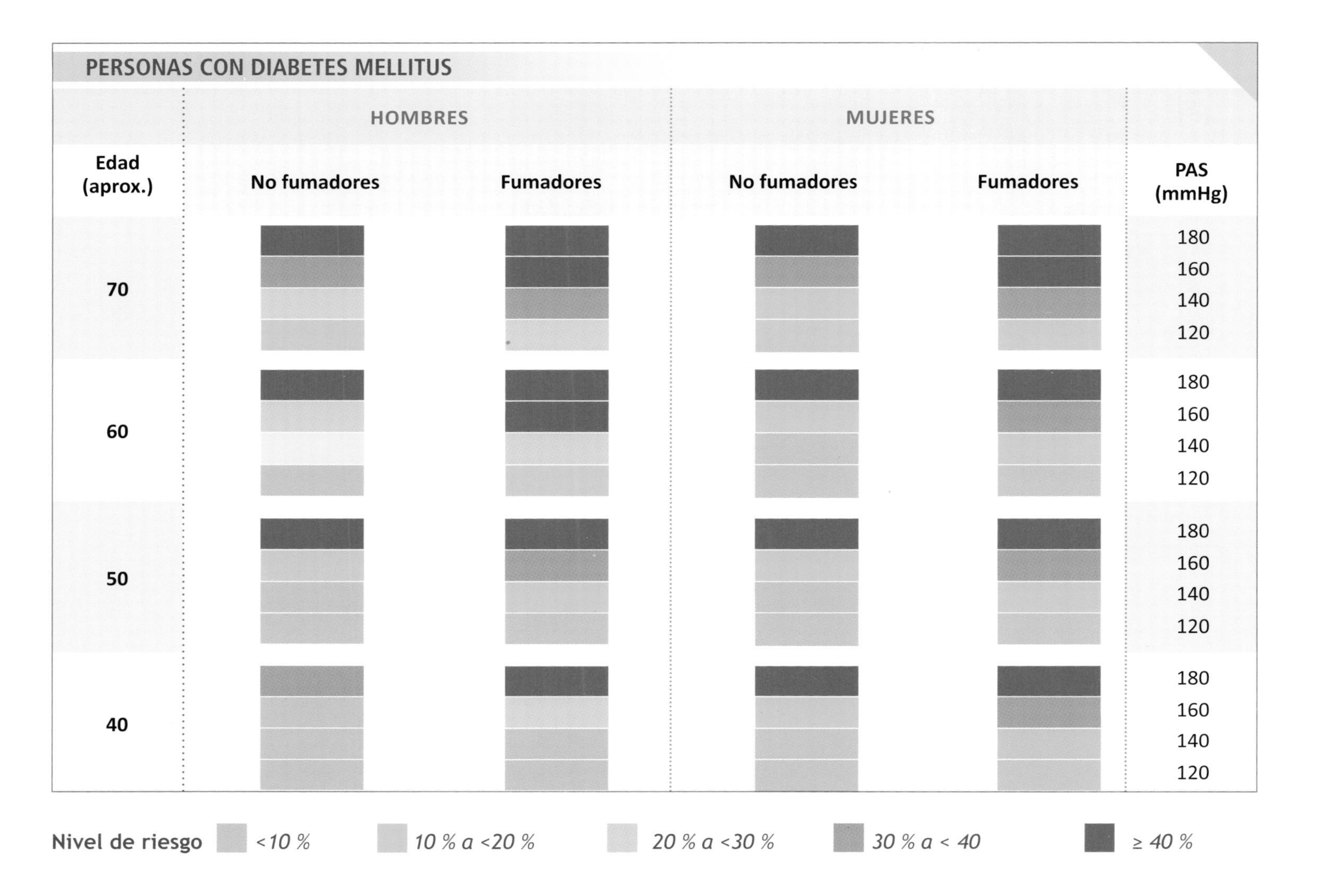
PERSONAS CON DIABETES MELLITUS
HOMBRES
MUJERES
Edad (aprox.)
No fumadores
Fumadores
No fumadores
Fumadores
PAS (mmHg)
70
60
50
40
180
160
140
120
Nivel de riesgo
<10 %
10 % a <20 %
20 % a <30 %
30 % a < 40
≥ 40 %

PERSONAS SIN DIABETES MELLITUS
HOMBRES
MUJERES
Edad (aprox.)
No fumadores
Fumadores
No fumadores
Fumadores
PAS (mmHg)
70
60
50
40
180
160
140
120
180
160
140
120
180
160
140
120
180
160
140
120
Nivel de riesgo
<10 %
10 % a <20 %
20 % a <30 %
30 % a < 40
≥ 40 %

Planilla de control diario de presión arterial

Sugerencias previas a la toma de presión:

- Mantenerse en reposo durante 5 minutos
- No tener ganas de orinar
- No fumar ni consumir café durante los 30 minutos previos
- No sentir dolores

FECHA	HORA	MÁXIMA (SISTÓLICA)	MÍNIMA (DIASTÓLICA)

A continuación se detallan los principales términos y conceptos de difícil interpretación, o poco conocidos, trabajados a lo largo del libro. Entender el significado de estas palabras favorecerá la comprensión de la hipertensión.

Accidente cerebrovascular (ACV) / ictus: pérdida de las funciones cerebrales producto de la interrupción del flujo sanguíneo al cerebro que origina una serie de síntomas variables, en función del área cerebral afectada.
Baroreceptores: receptores del sistema nervioso autónomo que informan al cuerpo cuando la presión sube o baja para que se regule la presión arterial.
Betabloqueantes: medicamento que se prescribe para la hipertensión que actúa bloqueando muchos efectos de la adrenalina en el cuerpo, en particular, el efecto estimulante sobre el corazón. El resultado es que el corazón late más despacio y con menos fuerza. Es así que reducen la frecuencia cardíaca y el consecuente gasto cardíaco.
Crisis hipertensivas: episodios de elevación aguda de la presión arterial que pueden producir alteraciones estructurales o funcionales en órganos como el corazón, el cerebro, los riñones, la retina o los vasos arteriales.
Disfunción eréctil: incapacidad persistente de lograr o mantener una erección suficiente para el desarrollo de una relación sexual satisfactoria.
Diurético: fármaco que actúa aumentando la eliminación de orina y sal del organismo. Se utiliza como tratamiento de la hipertensión debido a que baja la presión arterial producto de la pérdida de líquido y porque disminuyen la resistencia al flujo sanguíneo de los vasos del organismo.
Hipertensión arterial: enfermedad de las paredes de las arterias que se caracteriza por un aumento del espesor de las mismas. Produce que la presión de la sangre sobre los vasos sanguíneos sea demasiado alta.
Hipertensión gestacional: presión alta producto del embarazo que se presenta después de la semana 20 de gestación, en una embarazada que no era hipertensa previamente.
Hipertensión de guardapolvo blanco: aumento de la presión que se produce en algunos pacientes ansiosos, en la visita al médico.
Hipotensión: ocurre cuando la presión arterial, durante y después de cada latido cardíaco, es mucho más baja de lo usual. Esto significa que el corazón, el cerebro y otras partes del cuerpo no reciben suficiente sangre.
Hipotensión ortostática: producida por un cambio súbito en la posición del cuerpo, generalmente al pasar de estar acostado a estar parado, y usualmente dura solo unos pocos segundos o minutos.
Holter de presión: aparato automático para medir la presión arterial durante 24 horas que registra los valores en una memoria interna.
Insuficiencia cardíaca: pérdida de la capacidad del corazón de seguir bombeando la cantidad de sangre suficiente para todo el organismo.
Preeclampsia: la presencia de hipertensión arterial y la aparición de proteínas en el análisis de orina, que indica un deterioro de la función del riñón en mujeres embarazadas.
Presión diastólica: presión con que la sangre circula por las arterias mientras el corazón está volviendo a llenarse. Denominada comúnmente como "baja".
Presión sistólica: presión que se registra cuando la sangre es bombeada por el corazón hacia las arterias del cuerpo. Se conoce popularmente como "alta".
Reanimación Cardiopulmonar (RCP): maniobra de resucitación que se aplica frente a un paro cardiorrespiratorio, es decir, ante la detención de la respiración y el latido del corazón.
Riesgo cardiovascular global: es la probabilidad que tiene una persona de contraer una enfermedad cardiovascular en los próximos 10 años, basado en el número de factores de riesgo cardiovasculares presentes en ese individuo.
Sistema circulatorio: está formado por el corazón y los vasos sanguíneos. Sus principales funciones son: llevar los alimentos y el oxígeno a las células; y para transportar desechos para que sean eliminados por los riñones a través de la orina y por el aire exhalado en los pulmones.
Sistema nervioso autónomo: mediador clave de los cambios en la presión arterial y de la frecuencia cardíaca. Se divide en simpático y parasimpático. Recibe la información de las vísceras y de las células para actuar sobre los músculos, glándulas y los vasos sanguíneos.
Tensiómetro: aparato para medir la presión arterial.
Vasos sanguíneos: conductos musculares elásticos (las arterias, los capilares y las venas) que distribuyen y recogen la sangre de todos los rincones del cuerpo.

• ALCASENA, M.S.; MARTINEZ, J.; ROMERO, J. Hipertensión arterial sistémica: Fisiopatología. Servicio de Cardiología, Hospital de Navarra, Pamplona. Vol. 21 suplemento 1.

• CHOBANIAN, A. *et al*, Séptimo Informe del Comité Nacional Conjunto en prevención, detección, evaluación y tratamiento de la hipertensión arterial, *Jama*, 2003.

• DE LA SIERRA ISERTE, A. y URBANO MÁRQUEZ, A. Consumo de alcohol e hipertensión arterial, *Revista Hipertensión y Riesgo Vascular*, Editorial Elsevier, Vol.17 N° 2, 2000.

• GARCÍA BARRETO, D.; GRONING ROQUE, E; GARCÍA FERNANDEZ, R; HERNANDEZ CAÑERO, A. Hipertensión y efecto de bata blanca. *Revista Cubana de Cardiología y Cirugía Cardiovascular*, 2010;16(1):17-24.

• LENZER, J. Revisión Cochrane encuentra ningún beneficio demostrado en el tratamiento farmacológico de los pacientes con hipertensión leve. *British Medical Journal*. Agosto 2012.

• MAICAS BELLIDO, E. *et al.* Etiología y fisiopatología de la hipertensión arterial esencial, *Revista Monocardio* de la Sociedad Castellana de Cardiología Vol. 5 Nº 3, 2003.

• MARÍN REYES, F. y RODRÍGUEZ MORÁN, M. Apoyo familiar en el apego al tratamiento de la hipertensión arterial esencial, *Revista Salud Pública*, México, 2001.

• MARTINEZ, E., La actividad física en el control de la hipertensión arterial, *Revista Médica IATREIA* Universidad de Antioquía, Vol. 13 N° 4, Diciembre 2000.

• MINISTERIO DE LA PROTECCIÓN SOCIAL, Guías de promoción de la salud y prevención de enfermedades en la salud pública del Programa de Apoyo a la Reforma de Salud, Universidad Nacional de Colombia – Instituto de Salud Pública – Instituto de Investigaciones Clínicas, 2007.

• MINISTERIO DE SALUD DE LA NACIÓN ARGENTINA, Guía para el diagnóstico y tratamiento de la Hipertensión en el Embarazo, Segunda Edición, Buenos Aires, 2010.

• MINISTERIO DE SALUD DE LA NACIÓN, Segunda Encuesta Nacional de Factores de Riesgo para Enfermedades No Transmisibles, Buenos Aires, Primera Edición, 2011.

• MINISTERIO DE SALUD DE LA NACIÓN – REMEDIAR, Terapéutica racional en Atención Primaria de la Salud. Detección temprana y seguimiento de Factores de Riesgo Cardiovascular y Enfermedades Oncológicas en el Primer Nivel de Atención. Unidad 2: Hipertensión arterial y dislipemia, Buenos Aires, 2012.

• MINISTERIO DE SANIDAD Y CONSUMO. CONSEJERÍA DE SANIDAD DE LA COMUNIDAD DE MADRID, Guía de Intervención Educativa en el Paciente Hipertenso, Madrid, 2008.

• NATIONAL INSTITUTE FOR HEALTH AND CLINICAL EXCELLENCE, Hipertensión. Manejo clínico de hipertensión primaria en adultos, Londres, 2011.

• NIEVES, M.; y KLOPPE VILLEGAS, P. Crisis hipertensiva. *Revista AMF* 2007;3(4):186-224.

• OMS/ISH, Prevención de las enfermedades cardiovasculares. Guía de bolsillo para la estimación y el manejo del riesgo cardiovascular, Ginebra, 2008.

• OMS / OPS, Reducción del consumo de sal en la población, Informe de un foro y una reunión técnica de la OMS, París, 5-7 de octubre del 2006.

• OMS, Control de la Hipertensión, Ginebra, 1996

• OMS, Recomendaciones mundiales sobre actividad física para la salud, Suiza, 2010.

• REVISTA ARGENTINA DE CARDIOLOGÍA. Recomendaciones para el diagnóstico, estudio y tratamiento de la hipertensión arterial en el adulto mayor de 75 años. Vol. 71 suplemento 2/ julio-agosto 2003.

• SOCIEDAD ESPAÑOLA DE MEDICINA DE FAMILIA Y COMUNITARIA, Puntos de buena práctica clínica en Hipertensión Arterial, Barcelona, 2011.

• U.S. DEPARTMENT OF HEALTH AND HUMAN SERVICES, Your Guide to Lowering Your Blood Pressure With DASH, *NIH Publication* No. 06-4082, 2000.

Índice